For girls only!

Hetty van Aar

Mama heeft een nieuwe vriend

Standaard Uitgeverij

Neem een kijkje op www.for-girls-only.be en
www.for-girls-only.nl

© 2009 Standaard Uitgeverij en Hetty van Aar
Standaard Uitgeverij nv, Mechelsesteenweg 203, B-2018 Antwerpen
www.standaarduitgeverij.be
info@standaarduitgeverij.be
www.hettyvanaar.nl

Omslagontwerp: Linda Lemmen
Omslagillustratie: Cécile Hudrisier
Vormgeving binnenwerk: Aksentbvba.be

ISBN 978 90 02 23454 5
D/2009/0034/138
NUR 283

1

Eline keek op de klok. Halfzes. Mama was laat.
Zou ze langer moeten werken? Nee toch! Eline had
vanmorgen nog speciaal gevraagd: 'Kunnen we op
tijd eten vanavond?'
Vanavond ging ze voor het eerst babysitten. Ellen
mocht op haar kleine neefje en nichtje passen omdat
haar tante naar een cursus moest. Alle vriendinnen
mochten met haar mee: Yelien, Kato, Emma en
zijzelf. Ze verdienden er nog geld mee ook. Ellen dan,
want haar tante ging natuurlijk niet vijf babysitters op
een avond betalen.
Eline sprong op. Hoorde ze daar een auto? Ze liep
naar het raam en zag de buurman uitstappen. Hij was
wel op tijd thuis. Hij wel, ja.
Ze liep naar de keuken en trok de koelkast open.
Er lagen twee kant-en-klaarmaaltijden, de echte
boodschappen waren nog niet gedaan. Misschien was
mama daarom laat. Omdat ze boodschappen deed en
het druk was in de supermarkt.
Opeens kreeg ze een idee. Ze zou vast aardappels
schillen, dan hoefde mama dat niet meer te doen en dan

konden ze toch nog op tijd eten. Mama blij. Eline blij.
Ze pakte het kleine pannetje, het schilmesje en de
bak met aardappels. Met een plons viel de eerste
blote aardappel in het pannetje. Er was geen kunst
aan, iedereen kon aardappels schillen, dacht Eline. Ze
moest eens op zoek gaan naar een simpel kookboek
om zelf te leren koken, dan kon ze zorgen dat het
eten klaar was als mama thuiskwam. Niet iedere dag
natuurlijk, maar zo af en toe. Dat was ook handig
voor later, als ze het huis uit ging.
Ze keek in het pannetje. Zo was het wel genoeg.
Mama zou opkijken als ze zo meteen thuiskwam.
Ze kwam toch wel? Ze zou toch weer niet... Hoe laat
was het intussen? Zes uur. Ze had al thuis moeten
zijn.
Toen de telefoon ging wist Eline genoeg.
'Met Eline.' Zucht.
'Met mama.' Oh, wat klonk ze weer vrolijk. 'Vind je
het erg als ik op de zaak blijf eten? We willen wat
langer doorwerken vanavond.'
'Ik heb de aardappels al geschild', probeerde Eline
nog.
'Ach, liefje, dat is toch nergens voor nodig.'
Nee, als er niemand thuis kwam eten was dat
nergens voor nodig, dacht Eline. Ze wachtte op de
laatste zin van mama: schuif maar een kant-en-
klaarmaaltijd in de oven. Ja hoor, daar zei ze het al.
'Schuif maar een kant-en-klaarmaaltijd in de oven.
Er staat nog wel wat in de koelkast. Kies maar iets
lekkers. Tot straks.'
Met de telefoon in haar hand bleef Eline staan.

'Bedankt, hoor.'

Tuut tuut tuut. Mama was al weg. Overwerken. Dacht ze dat Eline dat nog geloofde? Echt niet. Mama had gewoon weer een afspraakje.

Eline legde de telefoon neer en liep terug naar de keuken. Ze zette de oven aan en keek in de koelkast. *Penne met tonijn*, las ze op het eerste pakje. Wat zou het andere zijn? Penne met tonijn. Kies maar iets lekkers uit, had haar moeder gezegd. Dat zou ze doen. Bedankt, mam!

'Kom op, Lien, niet zo negatief doen', sprak ze zichzelf ernstig toe. Zo erg was het allemaal niet. Mama zei ook wel eens iets anders. Bijvoorbeeld: schuif maar een pizza in de oven. Deze keer lag er zeker geen pizza in de vriezer. Morgen misschien. Help, ik sta hardop tegen mezelf te praten, dacht ze opeens. Daar moet ik mee ophouden, niemand zegt iets terug.

De oven gaf een seintje dat het eten klaar was. 'Rustig maar, ik kom er aan.' Eline pakte het plastic bakje en keek om zich heen. Waar zou ze het opeten? Op de bank voor de tv. Ze drukte op het knopje van de afstandsbediening. Het scherm sprong aan. 'Goedenavond', zei de nieuwslezeres.

'Ook een goedenavond', antwoordde Eline. Gezellig, nu praatte er iemand tegen haar. Ze begon te eten. Toen ze klaar was gooide ze het plastic bakje weg en keek op de klok. Mooi op tijd voor het babysitten. 'Zie je wel, je kunt het best zelf', zei ze hardop. Er kwam geen antwoord. Ze had de tv al uitgezet.

Ze reed naar het huis van Yelien, waar Emma tegelijk met haar aankwam. Met zijn drietjes gingen ze door naar Kato.

'Ik kom eraan', riep Kato, 'even mijn fietssleuteltje zoeken.'

Typisch Kato.

Geduldig bleven ze staan wachten, tot Yelien opeens naar de rode fiets met zilveren hartjes wees die tegen de muur stond. 'Het sleuteltje zit gewoon in het slot. Ik ga Kato roepen, dan kunnen we verder.'

Ellens tante, Brigitte, liet hen binnen. Een klein meisje verstopte zich half achter haar benen. Haar dunne, blonde haartjes waren net lang genoeg voor twee staartjes. 'Dit is Lize', zei Brigitte tegen hen. En tegen Lize: 'Bof jij even met zoveel lieve babysitters.'

Ellen zat binnen met baby Tom in haar armen. Hij lag tevreden voor zich uit te staren. 'Ik heb hem net zijn flesje gegeven', zei ze trots.

Eline boog zich over de baby. 'Ach, wat lief. Hij is nog zo klein, maar toch lijkt het net of hij ligt na te denken. Mag ik hem ook even vasthouden?'

'Ga maar zitten', zei Ellen. Voorzichtig legde ze Tom in de armen van Eline.

'Wat een schatje', zei Eline. 'Hij ruikt ook zo... zo speciaal.' Ze maakte zachte geluidjes met haar lippen. Tom keek ernaar en trok een scheve grimas. 'Hij lacht naar me! Ach, hij heeft nog helemaal geen tandjes.'

Ze raakte niet uitgekeken op het kleine mannetje. 'Zijn oogjes vallen dicht, hij heeft zeker slaap.'

'Kom maar,' zei Brigitte, 'dan leg ik hem in zijn bedje. Loop je even mee, Ellen?'

Toen Tom in zijn bedje lag vertrok Brigitte.

'Lize mag zo meteen ook naar bed', zei Ellen. 'Ze is een beetje ziek.'

'Ziek?' Eline keek verbaasd naar het kleine meisje dat op haar schoot gekropen was met een prentenboek. 'Wat heeft ze dan?'

'Een of andere kinderziekte, een virus', zei Ellen. 'Ze heeft allemaal kleine, rode spikkeltjes op haar lijfje.'

'Ach,' zuchtte Eline, 'wat zielig. Maar we moeten eerst nog verder lezen. Het boek is nog niet uit.' Met kleine, mollige vingertjes wees Lize naar de plaatjes. 'Woef', zei ze en ze wees een koe aan. Eline schudde haar hoofd. 'Nee, dat is boe! Koetje boe.'

'Boe', zei Lize.

Eline lachte. 'Ik heb haar een nieuw woordje geleerd.' Hadden ze haar wel gehoord? Ze keek om zich heen. Kato was bezig een teddybeer in een pyjama te wurmen, Ellen en Emma stapelden blokken op elkaar en Yelien bladerde in een prentenboek.

Eline legde een vinger op haar lippen. 'Ssst', zei ze tegen Lize. Ze pakte haar mobieltje en maakte een foto van haar spelende vriendinnen. Die zou ze straks op Hyves zetten, met de tekst: *babysitten*. Even streek ze met haar hand over haar telefoontje. Niemand uit haar klas had zo'n bijzonder toestel. Ze had het vorige maand van haar vader gekregen. Hij had het in Singapore gekocht. Daarna hadden ze elkaar niet meer gezien. Ze hoopte dat hij gauw weer belde voor een afspraak. Met een zucht stopte ze haar telefoon in haar schoudertasje.

'Woef', zei Lize en ze wees naar een hondje.

'Goed zo, knap van je', knikte Eline.

'Ze moet naar bed', zei Ellen. 'Wil je mee?'

Eline stond op. 'Hebben jullie lekker gespeeld?'

'Gespeeld?' Kato deed beledigd. 'Opgeruimd, zul je bedoelen. Kijk maar.' Ze zwaaide breed naar de speelhoek en mepte daarbij de hoge toren om.

'Kato, je gooit mijn toren om,' giechelde Emma, 'die had ik juist zo netjes opgestapeld.'

'Spelen jullie maar lekker verder', plaagde Ellen.

'Eline en ik brengen Lize naar haar bedje.' Bij de deur keek ze nog een keer om. 'Yelien, geen enge boekjes lezen anders ga je erover dromen.'

Lachend liep Eline achter haar aan de trap op. Babysitten was haast net zo gezellig als een slaapfeestje. Samen met Ellen legde ze Lize in haar ledikantje. Zachtjes zongen ze een slaapliedje. Toen het uit was sliep Lize met haar duimpje in de mond. Beneden zaten haar vriendinnen bij elkaar op de bank.

'Uitgespeeld?' plaagde Eline.

Ellen ging rond met thee en een schaal met koekjes, die Brigitte had klaargezet. Stil zaten ze bij elkaar, terwijl ze aan de koekjes knabbelden en van de thee nipten.

'Wat een leuk huis,' zei Emma, 'en wat een mooie spullen. Zo wil ik het later ook wel.'

Eline knikte enthousiast. 'En dan twee van die schattige kindjes! Ik kan bijna niet wachten tot het later is.'

'Ik heb iets bedacht', zei Ellen. 'Dat geld voor het babysitten is eigenlijk een beetje voor ons allemaal.

Ik heb thuis een groot, roze spaarvarken met gele bloemetjes, als we het daar eens instoppen? We mogen nog wel vaker op Tom en Lize passen. Dan sparen we net zo lang tot we iets leuks kunnen doen met het geld.'

'Wat een goed idee', zei Yelien.

'Mijn buurvrouw heeft ook een baby', zei Emma.

'Misschien mogen we daar ook eens babysitten.'

'Kunnen we geen kaartjes maken met onze namen en onze telefoonnummers?' dacht Eline hardop.

'Ja!' riep Kato. 'Als we dan iemand in de buurt kennen die kleine kinderen heeft, gooien we een kaartje in de bus.'

'Nee, we moeten het afgeven', zei Yelien. 'Mensen zullen toch niet gauw een wildvreemde babysitter bellen. Of wel?'

'Afgeven is beter', zei Emma. 'Je kunt je even voorstellen en ze zien je gezicht.'

'Zal ik eens nadenken over een kaartje?' bood Ellen aan. 'Ik teken wel iets.'

'Zullen we dan een naam bedenken om erop te zetten?' vroeg Eline.

'De babysittersbende!' riep Kato.

Eline trok een gezicht. 'Jakkes! Dat klinkt net als boevenbende. Ik denk niet dat we dan vaak gevraagd worden.'

Emma aarzelde. 'Wat vinden jullie van de oppascentrale?'

'Dat klinkt zo...' Eline zocht naar het juiste woord. 'Net als de taxicentrale.'

'Waarom niet gewoon: De babysitters?' vroeg Yelien.

Ja, waarom eigenlijk niet. Ze waren toch ook de babysitters. Dan mocht die naam op het kaartje.
'Komt voor elkaar', beloofde Ellen. 'Als we het druk krijgen, ik bedoel echt druk, dan gaan Tom en Lize wel voor.'
'Logisch', zei Yelien. 'Misschien is het dan handig om achter in ons vriendinnenboek een bladzijde te maken waarop we schrijven hoeveel geld we in het spaarvarken stoppen. Dan hoeft Ellen haar roze varkentje niet kapot te slaan om het geld te tellen.'
'Er zit een dop onder aan de varkensbuik', lachte Ellen. 'Maar ik vind het wel een goed idee.'
Elines mobiel begon te tingelen in haar tasje. Ze hoorde het wel maar reageerde niet.
'Je telefoon gaat', zei Kato.
'Dat is mijn moeder.' Eline keek een beetje bozig. Kato's mond viel open. 'Hoe weet je dat?'
'Dit is haar ringtone.' De telefoon zweeg. 'Wil je de ringtone horen als mijn vader belt?' Ze ritste haar tasje open en pakte haar mobieltje. 'Let op.' Ze drukte op een toets en meteen klonk er 'Hieperdepiep hoera!' Dat was lachen natuurlijk en Eline grinnikte mee.
Ze had de telefoon nog maar net opgeborgen toen er heftige piepjes uit het tasje klonken.
'U heeft een gemiste oproep', grapte Kato.
'Waarom neem je eigenlijk niet op?' vroeg Yelien. 'Heb je ruzie met je moeder?'
Eline schudde haar hoofd. 'Dat niet, nee. Maar ik had haar gevraagd of we op tijd konden eten vanwege het oppassen. Toen belde ze om zes uur op om te zeggen dat ze niet thuis at.'

'Alweer niet?' vroeg Yelien.

'Alweer niet', zei Eline. 'Ik denk dat ze nu thuis is en al lang weer is vergeten dat ik ging babysitten. Ze zal wel willen weten waar ik ben. Misschien belt ze wel dat het nog later wordt. Of, dat kan ook nog, opeens schiet haar te binnen dat ze nog een kind heeft en denkt ze: ik zal eens bellen.'

'Ach, wat jammer voor je', zuchtte Kato.

Eline haalde haar schouders op. 'Het is nu eenmaal niet anders. Kunnen we het over iets leukers hebben? Wat gaan we doen met het geld dat we verdienen met babysitten?'

Daar waren ze even stil van, iedereen dacht na. En midden in die stilte tingelde het telefoontje weer.

'Hou op', riep Eline. Ze ritste haar tas open en zette het toestel uit. 'Zo. Straks worden de kleintjes wakker. Moeten we niet even kijken of alles nog goed is boven?'

Ze sloop achter Ellen aan naar boven en boog zich over het bedje van Lize. Het nachtlampje scheen zachtjes op het slapende snuitje.

'Ach, zie je dat?' fluisterde Eline. 'Het duimpje is uit haar mondje gegleden, maar haar lipjes staan nog helemaal open.'

Ze slopen naar de kamer van Tom. Eline kneep meteen haar neus dicht en trok een vies gezicht.

'Jakkiebakkie! Dat zo'n klein baby'tje zo kan stinken.'

'Kom, we doen hem een schone luier om', zei Ellen zacht.

Ze tilde de slapende baby uit zijn bedje en verschoonde hem. Zachtjes gingen ze naar beneden.

Daar zaten de vriendinnen plannen te verzinnen over het geld.

'Misschien kunnen we samen naar de film gaan', zei Emma.

'Of een dagje naar een subtropisch zwembad', bedacht Kato.

'Of een dagje shoppen', riep Eline enthousiast.

'We hebben nog tijd om leuke plannen te maken', zei Ellen. 'Laten we eerst maar eens kijken of het plan van De babysitters lukt.'

Diezelfde avond nog gleed er een briefje van tien in de buik van het dikke, roze varken. Het begin was er.

Het laatste stukje reed Eline alleen naar huis. Binnen brandde licht, haar moeder was dus toch thuis. Toen Eline de keukendeur achter zich dichttrok hoorde ze haar aankomen. Haar hakjes tikten driftig op de tegels.

'Waar kom jij vandaan?' Mama klonk niet al te vriendelijk. 'Wat denk jij wel niet? Dat je kunt doen en laten wat je zelf wilt als ik eens een keer niet thuis eet!'

Een keer? dacht Eline. Meestal zul je bedoelen.

'Ik heb vanmorgen gezegd dat ik ging babysitten', antwoordde Eline.

Even zag ze de verwarring bij haar moeder. Vergeten natuurlijk. Maar mama liet zich niet kennen. 'Dan kun je toch wel de telefoon opnemen als ik bel?'

'Die stond uit, snap je dat niet?' zei Eline. 'Die kleintjes schrikken toch wakker als ik met een rinkelende telefoon naast hun bedje sta.'

Haar moeder bond in. 'Ik was het vergeten', gaf ze toe. 'Was het babysitten leuk?'

Eline knikte stug. Gingen ze opeens gezellig doen? Daar was het nu te laat voor. Ze zag dat het pannetje met aardappels er niet meer stond. Zou mama het in de koelkast hebben gezet voor morgen? Nee, daar lag alleen het bakje penne met tonijn.

In het voorbijgaan keek ze in de pedaalemmer. Daar zag ze de aardappels liggen. 'Ik ga naar bed', zei ze.

'Slaap lekker, meisje', zei mama.

'Welterusten', bromde Eline.

Op haar kamer zette ze haar laptop en telefoon aan. Nog geen minuut later belde papa: 'Hieperdepiep hoera!'

'Ha pap!' riep Eline blij.

'Dag Lienemieneke.' Zo noemde papa haar dikwijls. 'Ik dacht wel dat je nog wakker was. Hoe is het?'

'Goed. En met jou?'

'Ik ben op het vliegveld', zei papa. 'Ik vlieg zo meteen naar Barcelona, maar ik dacht: ik bel nog snel even.'

'Blijf je lang weg?'

'Nee, over een dag of drie ben ik terug. Maar ik stuur je een kaart', beloofde papa. 'Barcelona is een mooie stad, misschien kunnen we er samen een keer heen.'

'Ja.' Eline knikte. Barcelona zou best mooi zijn als hij het zei. En ze zouden er ooit, heel misschien wel samen naar toe gaan. Maar dat duurde vast nog lang. En zo lang kon ze niet wachten, ze wilde papa eerder zien. 'Pap, zullen we wat afspr...'

'Sorry, ik moet nu aan boord', zei papa opeens haastig. 'Ik bel je als ik terug ben. Goed?'

'Goed. Dag pap.'
'Dag meisje.' En weg was hij.
Eline zuchtte. Het was fijn dat papa nog even aan haar dacht voor hij vertrok. Maar het was jammer dat hij zo ver van haar vandaan woonde sinds de scheiding. Ze zagen elkaar veel te weinig. Ze pakte het vriendinnenboek van de geheime plaats, opende het slotje en begon te schrijven.

Hieperdepiep hoera! Jullie raden het al: mijn vader belde me. Hij zat te wachten op zijn vliegtuig en hij stuurt me een kaart vanuit Barcelona. En, dat raden jullie nooit, hij heeft me uitgenodigd om een keer met hem naar Barcelona te gaan. Te gek! Of niet soms? Deze keer blijft hij maar een paar dagen weg, dus ik denk dat hij eerder hier is dan de kaart. Maar dat geeft niet. Ik zal de kaart bewaren in mijn plakboek bij de rest van de verzameling. Uit alle werelddelen heeft hij intussen kaarten gestuurd. En binnenkort spreken we af, dat weet ik zeker. We zien elkaar zo weinig. Dat komt omdat hij te ver weg woont, maar ook omdat hij zo hard werkt, denk ik.

Daar ben ik weer. Ik was ff weg omdat ik mijn moeder hoorde praten. Ik vroeg me af wie er

was en heb stilletjes boven aan de trap staan
luisteren. Er was niemand. Gelukkig maar. Ze is
aan de telefoon. Ik denk dat ze verliefd is. Nee,
ik weet het wel zeker. Haar stem klinkt anders,
tegen mij praat ze nooit zo. Ook een geluk
natuurlijk, want ik mag er niet aan denken dat
ze tegen mij zo klef gaat kletsen. En ze heeft
steeds van die rare lachjes tussendoor. Die kan
ik hierboven zelfs horen. Zo aanstellerig! Het is
toch niet normaal dat iemand van haar leeftijd
verliefd wordt?! Ik hoop maar dat het gauw weer
overgaat en dat ze weer gewoon elke dag thuis
komt eten. Dan wordt ze eindelijk weer normaal.

Eline klapte het boek dicht en draaide het op slot.
Ze keek op haar wekker. Eigenlijk had ze al in bed
moeten liggen, maar ze kon nog wel even naar Hyves
surfen. Mama had toch niets in de gaten. Die was al
lang vergeten dat er boven ook nog iemand was. En
als mama toch kwam kijken? Dan zou ze gewoon
zeggen dat ze niet kon slapen omdat mama zo hard
lachte.
Er waren geen nieuwe berichten. Ze keek naar Ellens
laatste krabbel:

Don't forget:
zaterdagavond Pyjama Party. Bij mij.

Eigenlijk kunnen we het slaapfeestje net zo goed hier houden, dacht Eline. Als mama hoorde dat ze een slaapfeestje gaf, ging ze zelf ook weg en hadden ze het hele huis voor zich alleen. Ze krabbelde terug:

De Pyjama Party kan ook bij mij.
Dan hebben we lekker het hele huis voor onszelf.

Ze pakte haar mobieltje en zette de laatste foto op haar pagina. Ze glimlachte bij het zien van de foto. Kato die, met een verhit gezicht, worstelde met de teddybeer. Ellen en Emma die enthousiast een kleurige toren bouwden en Yelien, verdiept in haar prentenboek. Daar moest een tekst bij, vond ze: *De babysitters in actie.*
Tevreden schakelde ze de laptop uit en kroop in bed. Beneden was het stil geworden.

2

Met zijn vijven zaten ze bij Eline thuis om het
kaartje te bewonderen dat Ellen had getekend. Op de
voorkant had ze met grappige letters *De babysitters*
gezet. Daaronder stonden vijf stripfiguurtjes die
sprekend op hen leken.
Emma wees naar de twee figuurtjes die een toren
bouwden. 'Dit zijn wij, El. Dat kun je wel zien. Kato
met de beer is ook goed gelukt.'
'En ik zit braaf met een boekje in een hoekje', lachte
Yelien.
Eline keek naar het figuurtje met de peuter op schoot.
Dat was zijzelf, toen ze Lize voorlas. 'Wat leuk.'
Ellen knikte. 'Ik zag jouw foto op Hyves, zo kwam
ik op het idee. Kijk.' Ze draaide het kaartje om. 'Aan
de andere kant heb ik onze namen gezet met onze
telefoonnummers. Is het zo goed? Wat denken
jullie?'
Ze waren het roerend met elkaar eens: het kaartje zag
er prachtig uit.
'Dan zal ik er voor iedereen een paar afdrukken',
besloot Ellen.

Opeens ging de deur open. Elines moeder verscheen in badjas, met haar hoofd vol krulspelden en een groen gezicht. 'Eline, waar heb je de föhn gelaten?'
'Ligt die niet in de badkamer?' schrok Eline. 'Oh, dan heb ik die per ongeluk in mijn kamer laten liggen. Moet ik...' Ze zweeg, haar moeder was alweer weg. Het bleef even stil.
Toen vroeg Yelien: 'Gaat ze uit vanavond?'
Eline haalde haar schouders op. 'Ik weet het niet. Ze was wel erg vroeg thuis. Misschien aten we daarom zo vroeg, omdat ze nog weggaat. Ze heeft er niks van gezegd.'
Een halfuur later stond haar moeder opnieuw in de kamer. 'Ik ga nog even een kopje koffie drinken in de stad. Over twee uurtjes ben ik wel weer terug. Tot straks en veel plezier.'
Niemand zei iets terug. Verbaasd keken ze naar het breed gekapte haar en het zwaar opgemaakte gezicht. En naar het superkorte rokje met de torenhoge naaldhakken. Ook toen de deur dicht was bleven ze zwijgen.
Eline had een vuurrood hoofd gekregen. 'Dat is toch niet normaal? Ik schaam me dood.'
Ellen en Emma sloegen een arm om haar heen en klopten zachtjes op haar schouder.
'Als mijn moeder zo rond zou lopen...' zei Kato, 'dan zou ik echt niet met haar mee willen.'
'Ik bof, want ik hoef niet mee', zuchtte Eline. 'Maar ik vind het wel erg dat ze er zo overdreven bij loopt. Dat rokje is toch veel te kort? En die make-up mag ook wel minder. Ze lijkt wel een indiaan op oorlogspad

met al die kleuren op haar gezicht. Toen papa hier nog woonde deed ze niet zo raar.'

'Heb je er wel eens iets van gezegd?' vroeg Ellen.

'Zo vaak', zuchtte Eline, 'maar ze luistert nooit, het is net alsof ze me niet hoort.'

'Hoe zou ze reageren als jij er zo bij liep?' vroeg Yelien.

'Ik denk dat ze dan heel erg schrikt', dacht Eline hardop. 'Je brengt me op een idee.'

'Dat was ook de bedoeling', zei Yelien. 'Zullen we je helpen?'

Eline knikte. 'Samen is veel leuker.'

'Kom mee, naar boven', zei Eline.

Ellen draaide rollers in Elines haar terwijl Yelien en Emma tussen de make-upspullen rommelden.

'Dit heb je nooit meer aan', riep Kato. Ze stond voor de kleerkast en hield een lichtblauw rokje omhoog.

'Te klein', antwoordde Eline met haar hoofd vol rollers.

'Niet bewegen', schrok Yelien die met een mascararoller Elines wimpers zwart maakte.

'Ja, dat zie ik', zei Kato, 'maar als je de knoop nog dicht krijgt is het een super minirok voor vanavond.'

Daar had Kato gelijk in, dacht Eline. Wat een toeval dat ze het rokje nog niet weggedaan had. Ze had het niet gezien toen ze haar kast opruimde.

Emma aarzelde bij de lipsticks. 'Wat heeft jouw moeder veel kleuren. Welke zullen we nemen?'

'De knalrode', besloot Yelien. 'Die valt het meeste op. Maak je mond eens breed, Eline.'

Eline deed braaf wat er van haar werd gevraagd,

terwijl Yelien haar lippen rood maakte. Ze zat geduldig stil toen Ellen de rollers uit haar haren haalde.

'En dan nu... de grote metamorfose!' Gewapend met een spuitbus haarlak en een borstel ging Ellen aan de slag.

'Help!' klaagde Eline. 'Met zo'n enorm kapsel past mijn hoofd niet meer in de spiegel.'

'Dan zoeken we gewoon een grotere spiegel.'

Tevreden bekeek Ellen het resultaat.

'Dit is goed fout', zei Yelien tevreden.

'Erger kan het niet', knikte Emma.

'Jawel, de kleren nog.' Kato kwam met twee kleerhangers aanzetten.

'Dat witte shirt is ook te klein', wees Eline.

'Daarom heb ik het uitgekozen', zei Kato. 'Ik ben kampioen in foute kleren uitkiezen. Trek dit maar eens aan.'

Eline verkleedde zich en ging voor de grote passpiegel staan. Ze keek naar de kolossale krullen op haar hoofd, naar de zwart omrande ogen met felblauwe oogschaduw en de vuurrode lippen. Was zij dat? Ze herkende zichzelf niet meer. Ze voelde kriebels op haar hoofd, maar toen ze wilde krabben lukte dat niet omdat haar kapsel stijf stond van de haarlak.

Ze keek van de vuurrode mond naar beneden. Het witte shirtje was zo klein geworden dat haar navel eronderuit piepte. De knoop van het rokje ging nog wel dicht, maar ze was zo gegroeid dat het rokje nog net haar billen bedekte.

'En? Hoe vind je het?' vroeg Yelien hoopvol.

'Afschuwelijk!' Eline keek er ongelukkig bij.

'Je hebt gelijk', zei Kato. 'Weet je zeker dat je al die lak en verf er weer af krijgt? Anders loop je morgen voor gek op school.'

'Het zal wat tijd kosten,' zuchtte Eline, 'maar alles gaat er weer af. Gelukkig wel, zeg.' Ze draaide een rondje voor de spiegel. 'Ik zie er niet uit, maar dat was ook het plan. Als mijn moeder me zo ziet... dan snapt ze precies wat de bedoeling is.'

'Zal ik een foto maken?' bood Ellen aan.

'Nee, dit is te erg', schrok Eline. 'Zo mag niemand me zien. Alleen mijn moeder nog. Ik denk dat ik boven wacht. En als ze de voordeur binnenkomt daal ik de trap af.'

'Goed idee, dan gaan wij ervandoor', zei Yelien. 'Kom je nog online om te vertellen hoe het afliep?'

'Oké', zei Eline. 'Duimen jullie?'

Dat beloofden ze.

Op het randje van haar bed wachtte Eline af. Ze hoorde haar vriendinnen druk pratend vertrekken. Het werd stil. Ze keek op, recht in het gezicht van *my special boy*, de knapste jongen van de wereld, op een poster aan haar muur.

'Kijk maar niet', fluisterde ze. 'Ik wil niet dat jij me zo ziet. Ik ben niet zoals mijn moeder, zo zou ik er nooit bij willen lopen. Maar het moet. Ze hoort me niet, misschien ziet ze me.'

Buiten op straat klonk het gebrom van een auto, het dichtslaan van een portier en daarna hoorde ze de sleutel in de voordeur.

'Dag mam.' Langzaam liep Eline de trap af. Ze zag de

ogen van haar moeder groter en groter worden. En daarna bozer en bozer.

'Wat zie jij eruit? Vreselijk ordinair!' riep ze. 'Ga direct naar boven! Haal die troep van je gezicht en trek iets fatsoenlijks aan!'

Rustig blijven, dacht Eline.

'Komt er nog wat van?' riep haar moeder.

'En jij dan?' vroeg Eline langzaam.

'Hoezo ik?' Haar moeder had geen flauw idee wat ze bedoelde.

Eline trok haar mama mee naar de spiegel in de gang. Ze wees naar de twee zwaar opgemaakte gezichten en naar de vier blote benen. 'Jij ziet er toch hetzelfde uit.'

'Dit is het toppunt! Ik ben volwassen!' riep haar moeder uit. 'Jij bent nog een kind.'

'Oh ja?' Eline vergat dat ze rustig wilde blijven. 'Noem je dat volwassen? Ik niet. Ik vind dat net zo ordinair.'

'Zo is het genoeg! Ga naar boven, ik wil je niet meer zien!'

'Weet je wat jij bent?' gilde Eline onderweg naar boven. 'Een oude vrouw in een veel te korte rok! Ik schaam me dood voor zo'n moeder, als je dat maar weet!'

Met een knal smeet ze haar kamerdeur dicht. Ze stond te trillen op haar benen. Hun mooie plan om mama op andere gedachten te brengen was mislukt. Haar plan om rustig te blijven ook. Het was wel erg wat ze geroepen had, maar haar moeder snapte ook echt helemaal niets.

Bijna een half pak tissues had ze nodig om de
viezigheid van haar gezicht te vegen. En wel honderd
borstelslagen om door de helm van haarlak heen te
komen. Onder de douche kwamen de tranen, maar
die kon niemand zien.
Ze trok haar lichtblauwe pyjama aan met de witte
duifjes erop en kroop in bed. Haar telefoon gaf een
seintje. Ze had een sms'je van Yelien: *Hoestie? Kom je
nog online?*
Zuchtend stapte Eline uit haar bed. Ze was het
vergeten. Iedereen zat op haar te wachten.

> **LL zegt:**
   haai lientje, truc gelukt?
> **Lien zegt:**
   nee!!!!!
> **Kaatje zegt:**
   neeeeee???
   wat ging er mis?
   kwam ze niet thuis?
> **Lien zegt:**
   ze kwam wel en ze vond me ordinair.
   ik trok haar mee naar de spiegel.
   kijk zelf dan, zei ik.
   maar ze zag het niet.
   ik ben ordinair.
   en zij is volwassen.
> **Yel zegt:**
   wat jammer.
   heb je al iets anders bed8?

> **Lien zegt:**
nee, ik heb wel iets ergs gezegd.
> **M zegt:**
wat dan?
> **Lien zegt:**
dat ze een oude vrouw is
in een veel te korte rok.
> **M zegt:**
oei*#*
> **Lien zegt:**
dat is toch zo?
zeg ik de waarheid, is het ook niet goed.
ik snap er nix van.
> **Kaatje zegt:**
ben je nog kw@@d?
> **Lien zegt:**
ja, heel erg.
of nee, niet meer zo.
alleen maar ongelukkig.
> **Yel zegt:**
wat zielig.

> **Lien zegt:**
ik ga slapen.
trusten @llem@@l.
luf u muts.

Ze zette haar laptop uit en kroop in bed, met haar
hoofd diep onder het dekbed. Daar hoorde ze alleen
nog het suizen van haar bloed. En even later nog een
ander geluid. Nu klonk het opnieuw. Wat was dat
toch? Ze sloeg haar dekbed terug om te luisteren.

Er werd op haar deur geklopt. 'Eline, slaap je al?' fluisterde haar moeder.

'Nu niet meer', jokte Eline en ze knipte haar nachtlampje aan.

Mama kwam binnen en ging op de rand van het bed zitten. 'Ik heb nog eens nagedacht. Je hebt wel een klein beetje gelijk. Ik overdrijf de laatste tijd soms.' Gelukkig, ze begrijpt het, dacht Eline.

'Dat komt...' ging mama verder, 'omdat ik verliefd ben. Ik kan het je nu wel vertellen. Stefan heet hij. Binnenkort vraag ik of hij een keer hier komt eten, dan kun jij hem ook zien. Hij is echt heel leuk...' In het schijnsel van het nachtlampje zag Eline het stralende gezicht van haar moeder. Volwassen? dacht ze. Ze lijkt wel een puber. Toen dacht ze aan wat ze tegen haar moeder had geroepen. 'Sorry van daarstraks, mam. Ik meende het niet, ik zei het alleen omdat ik boos was.'

'Sorry dat ik het niet meteen begreep', zei haar moeder. 'Maar iets minder make-up en andere kleding, daar heb je wel gelijk in. Ik wil niet dat jij je voor me schaamt.'

'Bedankt', zei Eline stilletjes.

'Is het zo weer goed tussen ons?' vroeg mama.

'Ja', zei Eline. 'Zo is het goed.'

'Gelukkig,' zei mama, 'slaap maar lekker verder. Welterusten.'

'Trusten.' Eline propte het kussen in haar rug en bleef nog even zitten denken. Toen pakte ze haar vriendinnenboek, trok haar knieën op en begon te schrijven:

Nu staat de hele wereld op zijn kop.
Mijn moeder is verliefd, ik voed haar op.
Vandaag hield ik haar zelfs een spiegel voor.
Pas na een hele tijd had ze het door.
Ze luistert niet als ik iets zeggen wil.
Ik voel me nu zo eenzaam en zo kil.

Ze draaide het boek op slot en knipte haar lampje uit.
In het donker dacht ze na. Stefan heette hij dus. Door
hem deed haar moeder opeens niet meer normaal.
Hoe zou hij zijn? Misschien was hij wel heel aardig,
zei haar verstand. Maar haar gevoel zei iets anders.
Eigenlijk had ze nu al een hekel aan die man, nog
voor ze hem gezien had.
Opeens schoot ze rechtop in bed. Die vreemde man
zou toch niet bij hen komen wonen?
'Oh, nee', kreunde ze. Dat het tussen papa en mama
nooit meer goed kwam wist ze. Aan dat idee was ze
intussen wel gewend. Maar dat er ooit een vreemde
man bij hen in huis zou wonen, daar had ze nooit
eerder aan gedacht. Afschuwelijk! Ze kon er niet
meer van slapen.
Ze trok haar dekbed over zich heen en lag heel stil,
met haar ogen dicht. Ze moest aan iets leuks denken.
Maar wat was er nog leuk? Het slaapfeestje bij Ellen,
dat was leuk. Het was nu zeker dat het bij Ellen was.
'Vorige keer was het ook al bij jou', had Ellen gezegd.
En dat was ook zo.
Ze mocht het vriendinnenboek niet vergeten. Wie zou

het deze keer van haar overnemen? Kato vast niet,
want die had het aan haar gegeven. Ach, het was ook
niet belangrijk. Hoofdzaak was dat ze het niet thuis
liet.
Ze wist ook wat ze nog meer mee zou nemen: een
pakje flinterdunne kaascrackertjes. Die waren zo
lekker. Ze lagen net nieuw in de winkel, ze had ze nog
maar één keer geproefd. Zalig!

Eline haalde een slaapshirt uit de kast en stopte het in haar tas. Voorzichtig legde ze de kaascrackertjes er bovenop. Even streek ze over het zachte, gebloemde leer van de tas, in alle tinten rood en roze die je maar bedenken kon. Ze werd altijd vrolijk bij het zien van de tas. Papa had hem meegebracht uit... was het Dubai? Ze wist het niet zeker meer. Ja toch, het was Dubai.

Ze pakte de tas. Op de drempel van haar kamer stond ze even stil. Was ze niets vergeten? Nee, het vriendinnenboek had ze ook. Met lichte voeten liep ze de trap af. Het was nog veel te vroeg, ze moesten nog eten, maar ze was liever te vroeg dan te laat. Ze zette haar tas onder de kapstok en liep naar de keuken. Haar moeder stond bij het fornuis. Ze zag er leuk uit in haar spijkerbroek en shirtje, met dat sjaaltje om haar haren geknoopt.

'Je ziet er leuk uit', zei Eline. 'Wat eten we?'

'Ik maak voor jou een broodje hamburger,' zei mama. Dat was toch heel wat beter dan: schuif maar een pizza in de oven, dacht Eline. 'Eet je niet mee?'

Mama stopte een pluk haar onder haar sjaaltje. 'Nee.'
Eline werd afgeleid door het nieuwste
meidenmagazine. Ze zag het liggen op het kastje
naast de oven. Wat een rare plaats. Toen ze het pakte
viel er iets op de grond. Het was een kaart van papa.
'Ik heb een kaart van papa! Uit Barcelona', lachte
Eline.
De hamburgers gleden sissend in de pan. Mama zette
de afzuigkap op orkaansterkte.
Lezend liep Eline de keuken uit.

Lieve Lienemieneke,

Alles goed met je? Met mij wel, maar het is hier bijna te heet om
hard te werken. Soms wel 45 graden. Gelukkig houdt de airco
binnen alles koel. En op het heetst van de dag (tussen 2 en 5 uur
's middags) houden ze siësta, alleen maar eten en rusten, dus dat
schiet niet op. Daarom moet ik hier nog twee dagen langer blijven.
Als ik terug ben, bel ik je.
Dikke kus,

papa

Eline keek naar het kleine, regelmatige handschrift
van haar vader. Ze sloot haar ogen en snoof aan
de kaart. Die rook naar inkt, niet naar zon en zee.
Ook niet naar papa. Jammer. Ze draaide de kaart
om. Op de voorkant stonden vrolijk gekleurde
mozaïekfiguren. *Park Güell*, stond erbij in witte
drukletters. Wat een grappig park. Zou heel

Barcelona zo vrolijk zijn? Dat deed er niet toe. Al was de stad zwart-wit, met papa wilde ze overal heen.

Mama zette een bord op tafel. 'Kom Eline, eten.'

Eline schoof haar stoel aan en legde de kaart naast haar bord, met de vrolijke voorkant boven.

'Weet je wat papa schrijft?' Eline nam een hap.

'Nee.' Mama schudde resoluut haar hoofd. 'En ik wil het ook niet weten.'

Langzaam kauwde Eline op haar stukje brood met vlees. Wat deed mama opeens kortaf. Mocht ze soms niet over papa praten? Dat was toch bespottelijk! Zwijgend at ze verder, diep in gedachten. Zou mama de kaart soms expres in de keuken hebben gelegd, zodat hij kwijt raakte? Nee, ze had het magazine erbij gelegd. Mocht post van papa dan niet gewoon in het rieten mandje bij de andere post? Was het zo erg met mama? Al denkend kwam ze op een wonderlijke gedachte. Misschien was het juist goed dat mama nu verliefd was. Als ze gelukkig werd met Stefan zou ze misschien weer normaal kunnen doen tegen papa, of over papa.

Dat zou fijn zijn, dat ze thuis weer gewoon over papa kon praten. Mama's verliefdheid was misschien de oplossing. Raar, dat iets waar je zo tegen opzag nu iets was waar je naar uitkeek.

Ze veegde een kruimeltje van haar wang en besloot nu al dat ze Stefan aardig zou vinden. En dat ze vriendelijk tegen hem zou zijn. Als mama gelukkig was kwam alles goed.

Uit zichzelf zette ze haar bordje in de vaatwasser en ruimde de keuken op. In de koelkast stond nog steeds het bakje penne met tonijn. Het was over de houdbaarheidsdatum, ze gooide het in de afvalbak. Mama had geen nieuwe kant-en-klaarmaaltijden meer gekocht, zag Eline. Zou ze vaker thuis eten? Ze kroop op de bank met de kaart van papa en met het nieuwe magazine. Mama was boven. Eline sloeg het tijdschrift open en hoorde het water van de douche lopen. Eerst even naar haar horoscoop kijken.

Je gezondheid is deze week een punt van aandacht. De nieuwe week brengt ook visite met zich mee. Helaas schuift er een wolkje voor de zon, maar dat is van korte duur. De sterren beloven je een stralend einde van de week.

Wat was er mis met haar gezondheid? Ze zorgde toch goed voor zichzelf. Of zouden die plastic bakjes met eten slecht zijn? Zaten er wel vitamines in? Ze lette daar nooit op en had geen zin om nog in de afvalbak te duiken. Nu ze er goed over nadacht, moest ze toegeven dat ze zich anders dan anders voelde. Niet ziek, maar ook niet helemaal fit. Of zou dat door de horoscoop komen? Een soort van ingebeelde ziekte? Dat kon best zijn.
Boven klonk de föhn. Het leek erop dat mama nog uitging.
Eline keek nog een keer naar haar horoscoop. Dat stralende einde maakte veel goed. Wat zou het betekenen? Dat was wel jammer van die horoscopen, ze klonken vaak zo raadselachtig. Ze keek op toen de kamerdeur openging. Mama kwam binnen in een witte linnen broek met een wit kanten bloes tot op

haar heupen. Ze had haar ogen licht opgemaakt en haar lippen glansden zachtroze. Het naar achteren geföhnde haar had een paar krulletjes bij de oren.
'Je ziet er prachtig uit', zei Eline spontaan.
'Echt waar?' vroeg mama. 'Maakt die witte broek niet dik?'
'Jij dik? Echt niet', zei Eline en ze meende het.
Mama liep naar de gang. Ze ging met haar rug naar de spiegel staan en keek over haar schouder. 'Maar mijn billen...'
'Mam, je bent echt superslank', zei Eline nog een keer.
'Eerlijk?'
'Eerlijk', knikte Eline.
Opgelucht draaide mama zich om. Ze duwde een paar krulletjes op hun plaats en zei: 'Stefan heeft me uitgenodigd om mee uit eten te gaan. Vind je het erg als ik nu ga? Jij moet toch zo ook weg?'
Eline keek op haar horloge. 'Over een kwartiertje.'
'Draai je de deur goed op slot?' vroeg mama. 'Je hoort de laatste tijd zo vaak over inbraken.'
Inbraken? Daar had Eline niets over gehoord. Ze voelde twee lipsticklippen op haar wang. 'Veel plezier, tot morgen', zei mama.
'Tot morgen. En smakelijk eten', riep Eline haar na.
Ze pakte haar magazine weer en las het stripverhaal. Toen stond ze op. Zou ze het magazine meenemen naar Ellen? Nee, toch maar niet. Maar de kaart van papa stopte ze bij het vriendinnenboek in haar tas. Die moest iedereen zien. Ze draaide de deur op slot en vertrok.

Yelien stond al klaar met Emma toen Eline hen op kwam halen. Met zijn drietjes reden ze door naar Kato waar ze, zoals meestal, geduldig wachtten tot Kato met een verhit gezicht naar buiten kwam hollen. 'Sorry, ik was nog iets vergeten', zei ze. 'Iets lekkers. Oh, ik heb zo'n zin in het slaapfeestje. Op naar Ellen!' Nog voor ze aanbelden trok Ellen met een zwaai de voordeur open. Half lachend, half ernstig zei ze: 'Even geduld, ik moet eerst nog naar de dokter.'

'De dokter?' vroeg Emma.

'Ze maakt een grapje, haar vader is dokter', zei Yelien. 'Haar moeder trouwens ook.'

Vanuit de verte klonk een mannenstem. 'Ellen, waar blijf je nou?'

'Kom mee naar de spreekkamer', zei Ellen.

Ze liepen met hun tassen achter haar aan door een lange tegelgang naar de spreekkamer. Ellens vader in zijn rode poloshirt keek hen lachend aan. 'Zo, komen jullie allemaal op het spreekuur?'

'Ze mogen er toch wel bij blijven?' sputterde Ellen.

'Ja hoor.' De dokter scheen met een lichtje in de ogen van zijn patiënte. 'Mmm,' mompelde hij, 'steek je tong eens uit.'

Ellen keek naar haar vriendinnen. 'Dat mogen jullie niet, je tong uitsteken naar je vader.'

'Mmm', aarzelde de dokter terwijl hij de tong bestudeerde. 'Kom eens wat dichter bij de lamp staan, ik wil je huid zien.'

Ellen trok een gek gezicht en zette een paar stappen in de richting van de felle lamp.

'Dat dacht ik al', zei haar vader. 'Je hebt een virus.'
'Is het erg?' vroeg Ellen.
Haar vader had kleine pretlichtjes in zijn ogen. 'Zo
erg dat je het niet wilt weten.'
'Plaag me niet zo', riep Ellen. 'Zeg dan wat ik heb.'
'Je hebt een kinderziekte, hetzelfde virus als Lize
had', zei haar vader. 'Onder het felle licht kun je de
rode huidvlekjes duidelijk zien.'
'Een kinderziekte!' Ellen keek verontwaardigd. 'Ik
ben niet eens een kind meer. Help, nu sta ik echt voor
schut.'
De dokter keek naar de vriendinnen die wat giebelend
op een rijtje stonden. 'En dames, waren jullie ook aan
het babysitten bij Lize?'
Voor een zieke werd Ellen opeens wel erg
enthousiast. 'Ja, ze waren er alle vier. Het is
besmettelijk, dan worden we allemaal ziek.
Pap, maak je een ziekenzaaltje voor ons?
Ziek zijn met zijn allen is veel leuker.'
De dokter maakte een sussende beweging met zijn
hand. 'Wie de ziekte als kleuter heeft gehad, zal er
nu echt geen last van hebben. Mag ik toch even naar
jullie kijken? Kom maar een voor een bij de lamp
staan.'
Ellen ging op een brancard zitten en wachtte vol
spanning af. Met wiebelende benen keek ze hoe
Yelien als eerste naar voren stapte.
'Volgens mijn moeder heb ik alle kinderziektes
gehad', zei ze.
'Het ziet ernaar uit dat je moeder gelijk heeft', gaf de
dokter toe. 'Jij hebt het virus niet.'

'Wat jammer', zuchtte Ellen toen Yelien naast haar kwam zitten.

Kato stapte aarzelend naar voren.

Samen ziek zijn was misschien wel leuker dan alleen ziek zijn, maar eigenlijk had ze helemaal geen zin om ziek te zijn. Gelukkig, ze mankeerde niets.

Emma en Eline stapten tegelijk naar voren.

'Sorry, ga jij maar', zei Emma.

'Nee, ga jij maar', protesteerde Eline.

'Emma, je bent zo gezond als een vis', verklaarde de dokter.

'Pech, van die ziekenzaal komt niets terecht', zuchtte Ellen. 'Nu ben ik de enige met een kinderziekte.'

'Nee, Eline heeft het ook', zei haar vader.

'Het stond in mijn horoscoop', riep Eline verbaasd uit. 'Je gezondheid is deze week een punt van aandacht, stond er.'

'Typisch Eline', lachte Yelien.

De vriendinnen knikten eensgezind.

'Is het ernstig?' vroeg Eline. 'Moet ik iets speciaals doen?'

'Goeie vraag', zei de dokter. 'Ik zal er een eerlijk antwoord op geven. Op jullie leeftijd kan het krijgen van een kinderziekte soms erger zijn dan wanneer je nog klein bent. Het hoeft niet. Om het risico zo klein mogelijk te houden adviseer ik drie dagen rust. Je hoeft niet per se drie dagen in je bed te blijven liggen, maar je mag zeker niet naar school gaan.'

'Dan heb ik echt pech', zuchtte Kato. 'Een paar dagen vrij van school lijkt me zalig.'

'Rust, dat is eigenlijk alles wat je tegen dit virus kunt doen', vatte de dokter samen. 'Dus dames, vandaag geen slaapfeestje.'

Ellen sprong van de brancard. 'Pap, doe niet zo flauw, dat meen je niet.'

'Ik meen het serieus', zei haar vader. 'Ik weet dat het vervelend is voor jullie, echt waar.'

Met beteuterde gezichten keken ze elkaar aan.

'Moet ik al die chips nu alleen opeten?' riep Kato vertwijfeld.

'Dat zou ik niet doen', glimlachte de dokter. 'Mijn advies is: laat die zak nog een week dicht en kom dan terug voor een slaapfeestje. Dan is iedereen weer fit genoeg om het laat te maken.'

Ze klaagden, zuchtten en steunden, maar ze wisten zelf ook wel dat het niet hielp.

'Pap,' smeekte Ellen, 'iedereen heeft zich zo op het slaapfeestje verheugd. Mogen we dan nog even naar een film kijken?'

'En hoe lang duurt die film?' vroeg de dokter streng.

'Anderhalf uur', zei Ellen vlug.

'Goed. Maar over twee uur is iedereen weg en gaan mijn patiënten rusten.'

'Kom mee, naar mijn kamer', riep Ellen.

Daar schonk ze de glazen vol die al op een dienblad klaarstonden, met een schaal koekjes erbij. Ze stak wat kaarsjes aan en ging bij haar vriendinnen zitten.

'Chips?' Kato hield een grote zak omhoog.

Maar daar hadden ze nog geen zin in.

'Hoe heet de film?' vroeg Emma.

Ellen legde een vinger op haar mond. 'Ssst, ik

heb geen film. Dat was maar een smoesje, anders moesten jullie meteen weer naar huis.'

'Slim', knikte Eline. 'Ellen, voel jij je ziek?'

Ellen schudde haar hoofd. 'Nee, ziek ben ik niet. Het is meer een vaag gevoel. Als mijn vader niets gezien had, zou ik het niet eens gemerkt hebben. En jij?'

'Toen ik mijn horoscoop gelezen had, voelde ik me anders dan anders', zei Eline. 'Ik dacht dat het aan die horoscoop lag. Ik voel me ook niet echt ziek.'

'Mazzelaars', zei Kato. 'Niet ziek en toch drie dagen vrij van school.'

'Twee', verbeterde Eline haar. 'Morgen is het zondag. Jullie komen toch wel op ziekenbezoek?'

'Elke dag', beloofde Yelien.

Opeens schrok Eline. 'Kun je die rode stipjes ook op je gezicht krijgen? Zien jullie al iets?'

Ze wrongen zich in bochten om te kijken, maar zagen niets.

'Echt niet?' vroeg Eline nog eens. 'Dat lijkt me vreselijk, zo'n gezicht vol rode vlekken.'

'Dat ziet toch niemand als je thuis bent', vond Kato.

'Ik zie het zelf toch', protesteerde Eline. 'Als ik morgen in de spiegel een gezicht vol stippen zie, voel ik me pas echt ziek. En dan mag je natuurlijk ook geen make-up gebruiken', ging ze klagend verder.

Kato begon te schateren van het lachen. 'Ik zie het al voor me: Eline in bed met een rood gespikkeld hoofd, bruine eyeliner, blauwe oogschaduw en zwarte mascara. Hahaha...'

'Wil je soms ook nog een beetje lipstick, rood met witte stippen misschien?' lachte Yelien.

'Dan hang ik een bordje op je deur: schoonheidssalon Eline', plaagde Emma.

'Ja, lach maar...' sputterde Eline.

Ellen probeerde haar gerust te stellen. 'Lize had ook geen rood hoofd.'

'Dat is waar, je hebt gelijk.' Eline klonk weer hoopvol.

'Is ze weer beter?' vroeg Emma.

Ellen knikte. 'Ze is niet echt ziek geweest.'

'Babysitten is een riskant beroep', vond Eline.

Ellen dacht opeens aan haar kaartjes. 'De babysitters! Kijk, ik heb een hele stapel gemaakt. Ik ben benieuwd of de mensen gaan bellen.' Ze deelde ze rond. Bij Eline stond ze stil. 'Wij kunnen maar beter even wachten, anders steken wij die kleine kinderen weer aan.'

'En die maken dan hun oppas weer ziek', zei Kato.

'Ja, zo blijven we aan de gang', knikte Eline. Ze gaapte. Eigenlijk had ze best slaap, maar dat had niets met ziek zijn te maken. Dat kwam vast omdat ze de laatste tijd te laat naar bed was gegaan.

Onder aan de trap klonk de stem van Ellens vader. 'Is de film nog niet afgelopen?'

'Toch handig als je ouders dokter zijn', bedacht Emma.

'Niet altijd', zei Ellen. 'Je hebt nooit een smoesje om schoolziek te zijn, dat merken ze meteen.'

Eline gaapte nog eens. 'Drie dagen uitslapen... zalig.'

'Hou op!' riep Kato. 'Dat wil ik ook!'

'Op ons volgende slaapfeestje krijg jij een make-over', beloofde Eline. 'Dan schilder ik je vol met rode stippeltjes.'

Kato verheugde zich al. 'Dan ben ik lekker schoolziek.'

'Met watervaste inkt,' dreigde Eline, 'die er nooit meer af gaat.'

'Help!' lachte Kato. 'Dan heb ik levenslang.'

'Dat heet een chronische ziekte', plaagde Ellen.

Ze pakten hun dichte tassen weer op en verlieten het slaapfeestje dat geen slaapfeestje was.

'We bellen', zei Ellen.

'En we mailen', beloofde Eline.

'Wij komen op bezoek', voegden Yelien en Emma eraan toe.

'En ik kom huiswerk brengen', dreigde Kato. 'Bergen huiswerk, als je dat maar weet.'

4

Heel alleen fietste Eline de donkere straat in.
Haar huis was ook donker, net als dat van de buren.
Haar moeder was er dus nog niet. Eline haalde de
huissleutel uit het zijvakje van haar tas en zocht naar
het sleutelgat. Na wat gerommel kreeg ze de deur
open.
Ze liep door het lege, donkere huis en knipte een
schemerlamp aan. Het was stil, zo stil als het overdag
nooit was. Ze zette de televisie aan en ging op de
bank zitten. Misschien kwam mama helemaal niet
thuis, omdat ze dacht dat het slaapfeestje doorging.
Dan kon ze net zo lang opblijven als ze wilde en zelf
bepalen welk programma ze wilde zien. Ze zapte
langs de zenders. Haar favoriete soap was nog bezig.
Als mama thuis was mocht ze daar nooit naar kijken.
Dan werd het veel te laat, vond mama. Toch keek ze
weleens stiekem. De serie ging over drie vriendinnen
die een paar jaar ouder waren dan zijzelf. Een van
hen, Susan, was verliefd op Ian. Maar Ian had niets in
de gaten, wat Susan ook verzon. Wacht, ze ging snel
even wat drinken halen. Toen ze terugkwam vond ze

Ian en Susan in een innige omhelzing. De aftiteling liep dwars over hen heen. Wat jammer, nu wist ze nog niet wat Susan had gedaan om de aandacht van Ian te trekken. Ze dacht aan Paul, haar stille liefde uit de derde klas. Of was het de vierde? Tussen hen ging het eigenlijk net als met Susan en Ian. Zij droomde van Paul. En Paul wist niet eens dat zij bestond. Hij was zo knap, met zijn halflang, donker haar. Maar dat vonden alle meisjes van de school. Ze liepen allemaal achter Paul aan. Maar ze had hem nog nooit met een vriendin gezien. Misschien merkte hij niet eens dat ze allemaal verliefd op hem waren. Dan maakte ze toch nog een kansje. Maar dan moest hij eerst weten dat ze bestond. Ze kon natuurlijk haar mooiste kleren aantrekken, zich heel speciaal opmaken en dan vlak voor zijn voeten flauwvallen. Dan moest hij haar wel zien. Hij zou bij haar neerknielen en haar gezicht vastpakken. En als ze haar ogen opende, zou hij haar in zijn armen nemen en naar binnen dragen. Licht als een veertje zou ze in zijn armen zweven. Elines gedachten zweefden mee, tot ze weer op de aarde neerdaalden. En dan? Zou hij dan voor eeuwig en altijd verliefd op haar zijn? Natuurlijk niet, jongens uit de vierde werden nooit verliefd op meisjes uit de eerste. Dat wist ze heus wel. Daarom had ze besloten dat Paul haar geheime liefde bleef.

Ze nam een slokje en keek naar het beeldscherm. Daar was een man op de vlucht, hij rende of zijn leven er vanaf hing. Geen wonder, hij werd achternagezeten door een griezel met een heel gemeen gezicht. En met een mes. Het was zo akelig, ze rilde ervan. Nu kwam de vluchtende man bij een vervallen huis. Het was donker, alleen de maan scheen door een kapotte ruit naar binnen. De man stoof het huis in, stond heel even stil en keek om zich heen. Toen rende hij de trap op en verstopte zich in een kast. Het was stil, je hoorde alleen de hijgende ademhaling van de man. Was hij nu veilig? Een krakende deur verbrak de stilte. Een zware voetstap galmde door het lege huis. De achtervolger grijnsde vals. Stap voor stap bonkte hij de trap op. Zijn hand speelde met het mes. Hij klikte het dicht en weer open. Nu bewogen de voetstappen langzaam naar de kast. De deur stond op een kier. Het mes flikkerde in het maanlicht.

Eline sloeg haar handen voor haar ogen.

Nee, ze wilde het niet zien. Vlug greep ze de afstandsbediening en drukte op de rode knop. Meteen ging de tv uit. Ze had het er koud van gekregen, terwijl het toch niet koud was. Maar het was wel stil. Zo stil. Er klonk gekraak. Ergens boven. Ze keek omhoog. Daar was het geluid weer. Sloop daar soms iemand rond? Ze had toch niet per ongeluk haar raam open laten staan? Ze probeerde na te denken maar wist het niet meer zeker. Er zou toch niet iemand naar binnen zijn geklommen? Dat kon makkelijk. De regenpijp liep vlak langs haar raam. Ze stond op, hield haar hoofd een beetje schuin en luisterde. Haar hart bonkte zo dat ze niets anders hoorde. Ze sloeg haar armen om zich heen en bleef roerloos staan.

Was er nu wel of niet iemand binnen? Het was opeens weer zo stil. Misschien was het gewoon de vloer die kraakte. Maar die bewoog toch niet uit zichzelf?

Opeens voelde ze zich doodmoe. Ze wilde slapen, maar durfde niet naar boven. Eerst moest ze zeker weten dat er niemand was. Kon ze de politie bellen? En wat moest ze dan zeggen?

'Ik denk dat er iemand boven is, kunt u even onder mijn bed kijken?'

Nee, natuurlijk kon ze de politie niet bellen. Die kwamen echt niet met zwaailicht en sirene om een boef te pakken die er misschien niet eens was. En mama belde ze ook niet, besloot ze dapper.

Help, nu kraakte het weer. Was dat boven aan de trap? Nee, toch? Zo meteen kwam er echt iemand naar beneden. Ze greep haar mobieltje en belde Yelien. Het kon haar niet schelen dat het midden in de nacht was. Ze was bang en durfde niet alleen te blijven. Yelien zou het begrijpen.

Waarom nam ze nou niet op?

'Ja?' Yelien klonk slaperig.

'Yelien! Ik ben bang', fluisterde Eline.

'Wat is er?' Yelien klonk opeens klaarwakker.

'Ik zit heel alleen beneden en het kraakt boven', fluisterde Eline weer. 'Ik durf niet naar bed. Wat moet ik doen?'

'Is er iemand boven?' vroeg Yelien.

'Dat weet ik juist niet. Ik weet niet of ik mijn raam open heb gelaten.'

'Ik weet het!' zei Yelien.

'Wat dan?'

'Je moet alle lampen aandoen en veel lawaai maken',

zei Yelien. 'Dieven slaan op de vlucht als er licht en lawaai is.'

'Wacht...' Heel zachtjes duwde Eline de klink van de kamerdeur naar beneden. Ze gluurde de donkere gang in. 'Ik zie niemand. Dan maak ik nu de lamp in de gang aan. Goed?'

'Ik wacht', fluisterde Yelien terug.

Eline duwde de deur wat verder open en stak haar arm uit. Ze kon net niet bij de lichtknop. Op haar tenen sloop ze erheen. Ze drukte meteen op allebei de knoppen. 'Oef, de lamp in de gang is aan, beneden en boven.'

'Waarom fluisteren we eigenlijk?' vroeg Yelien. 'We moeten herrie maken. Je moet juist hard praten.'

'Hallo!' riep Eline. Haar stem klonk bibberig.

'Harder!' spoorde Yelien haar aan. 'Schreeuw! Ga voor mijn part zingen!'

Eline slikte. 'Lalalaaaaaaaa! Lalalala! Lalaaaaa!' Haar stem galmde door het trapgat. 'Is het zo goed?' fluisterde ze.

'Hoe is het boven? Hoorde je wat?' vroeg Yelien.

'Niets. Alles is stil.'

'Zie je wel, het helpt!' zei Yelien. 'Zo moet je doorgaan, de trap op, tree voor tree. Stampen! Ik blijf aan de telefoon tot je alle lampen boven aanhebt.' Eline tilde haar trillende been op en zette een voet op de trap. 'Lalalaaa! Lalalalalalalaaa!' Ze zong tot ze boven was. 'Lalalaaaaa! Lalaaaaa!' Bij iedere kamerdeur was ze even stil, zette de deur op een kier en knipte het licht aan. Daarna zwaaide ze de deur helemaal open. 'Lalalaaa!'

Er was niemand!

'Yelien, er is niemand', fluisterde ze. 'En mijn raam zit gewoon dicht.'

Er kwam een raar geluid uit de telefoon. 'Yelien, wat is er?'

Yelien stikte van het lachen. 'Wat... kun jij... vreselijk zingen... Geen wonder... dat die boef... op de vlucht sloeg.' Ze deed een poging Eline na te zingen. Keihard tetterde ze in de telefoon: 'Lalala... lala... hihi... lahihi...'

'Eline hield de telefoon een meter van haar oor en begon te lachen. Ze kon niet meer ophouden. 'Oh... Yelien... stop! Alsjeblieft...' Ze liet zich gierend op haar bed vallen, met een hikkende, snikkende Yelien aan haar oor. Ze kronkelde van het lachen. Toen haalde ze diep adem. De lachbui zakte. 'Yelien?'

'Lalalala!' zong Yelien.

Samen gierden ze van het lachen, tot Yelien opeens zei: 'Jeetje, het is midden in de nacht. Zo meteen maak ik iedereen wakker. Gaat het nu weer goed met je?'

'Ja', zei Eline. 'Gelukkig wel. Maar ik kijk nooit meer naar zo'n enge film.'

'Aha, kwam het daardoor.' Yelien snapte het meteen. 'Vertel.'

'Nee, want dan moet ik er weer aan denken.' Eline gaapte. 'Zullen we dan maar gaan slapen?' Yelien geeuwde ook.

'Bedankt dat je me gered hebt', zei Eline.

'Daar zijn vriendinnen voor', zei Yelien. 'Droom maar lekker.'

'Trusten', lachte Eline.

De telefoon was warm en haar oor was klam toen ze
eindelijk ophing. Ze wilde haar tanden poetsen, maar
haar tas stond nog beneden. En het licht brandde
nog. Ze aarzelde even boven aan de trap. Onzin,
dacht ze, er is niets aan de hand. Ze pakte haar tas,
knipte het licht uit en ging naar bed.

Langzaam werd Eline wakker. Ze bleef even liggen
met haar ogen dicht en keek toen op de wekker.
Halfeen! Zo lang had ze nog nooit geslapen. Ze dacht
aan het angstige avontuur van vannacht. Nu de
zon scheen leek het zo ver weg, net of het niet echt
gebeurd was. Zou Yelien al wakker zijn? Vast wel. Ze
zou haar straks bellen. Ze draaide zich op haar rug
en wreef zachtjes over haar arm. Jakkes! Dat voelde
raar aan. Ze schoot rechtop en keek naar haar arm.
Die zat helemaal onder de rode vlekjes. En de andere
arm? Ook. Ze vloog uit bed en trok de gordijnen open.
Haar armen, benen en buik waren roodgespikkeld.
En haar gezicht? Ze stoof naar de spiegel en keek. Ja
hoor, op haar gezicht zaten ze ook. Ze zag er niet uit.
Zou mama al thuis zijn? Het was zo stil beneden.
Ze liep de trap af, zwaaide de kamerdeur open en
keek recht in het gezicht van een man. Er zat een
wildvreemde man aan tafel en mama zat tegenover
hem, met een glimlach op haar gezicht.
'Ha, daar hebben we Eline', zei mama zonnig. 'Eline,
dit is Stefan.'
'Dag', knikte Eline. Ze voelde zich opgelaten nu ze
zo plotseling in haar nachtpon voor hem stond. Had
mama haar niet kunnen waarschuwen dat hij kwam?

'Krijgt Stefan geen hand?' vroeg mama. 'Is er iets?'
'Ik ben ziek,' zei Eline, 'kijk maar.' Ze stak haar
armen en een been uit.
Ontdaan keek mama naar haar roodgespikkelde kind.
'Meisje toch... Heb je hier de hele nacht in je eentje
ziek liggen zijn? We moeten naar de dokter, dit ziet er
zo naar uit. Ik wil weten wat je mankeert.'
'Het is een virus', zei Eline stug. 'Ik ben al bij de
dokter geweest en ik moet drie dagen rust houden.'
Ze zag het schuldige gezicht van haar moeder
en genoot ervan. 'Ellen heeft het ook, het is erg
besmettelijk.'
'Geef mij dan maar geen hand', mompelde Stefan
voor zich uit. Eline hoorde het wel.
Mama trok een stoel opzij, ver weg van Stefan. 'Kom
gauw zitten, dan zet ik lekker verse thee voor je.
Want je moet wel genoeg drinken, zeker als je ziek
bent.'
Eline ging zitten en keek hoe haar moeder in de
keuken druk heen en weer liep. Ze kwam terug
met een mok en een bord. 'Kijk eens, thee en een
beschuitje. Dat lust je toch wel?'
Eline knikte mat. Oh, wat deed mama haar best om
het goed te maken. Dat mocht ook wel. Zou ze van de
inbreker vertellen? Nee, voorlopig was het zo genoeg.
Ze zette haar tanden in de beschuit en keek naar de
vaas met bloemen. Gisteren stond die er nog niet.
Zou mama ze van Stefan hebben gekregen? Het was
een flink boeket, zag Eline. Het stond precies tussen
haar en Stefan in. Zo kon ze mooi tussen de rozen en
anjers door naar de vreemde man gluren, zonder op

te vallen. Hij had een bleek gezicht, zijn witte wangen hingen als lege zakjes aan zijn kaken. Zijn fletse, bolle ogen puilden achter zijn dikke brillenglazen en zijn mond stond steeds half open. Tussen de vlezige lippen door kon je zijn scheve tanden zien. Ze glommen van het spuug.

Yèèèk! Zo meteen lustte ze haar beschuitje niet meer. Ze nam een slokje thee.

Mama zat er een beetje ontredderd bij, haar zonnige glimlach van daarnet was verdwenen. Stefan stak zijn arm over de tafel heen en legde een grote, harige hand op mama's gelakte nageltjes. 'Heb je zin om vanavond samen naar de film te gaan, poppetje?'

Eline verslikte zich. Poppetje? Zei hij poppetje tegen haar moeder? Het moest niet gekker worden.

Aarzelend trok mama haar schouders op. 'Ik weet het niet, beertje. Zal ik dinsdag lekker voor je koken? Dan is Eline ook weer bijna beter.'

Eline hield haar adem in. Beertje? Had ze dat goed gehoord? Het leek wel of ze in een poppen-kastvoorstelling was beland. Dit was toch niet normaal?

Veel te hard zette ze haar mok op het bordje en stond op. 'Ik ga naar bed.'

Op haar kamer zocht ze een dikke, rode stift. Met koeienletters schreef ze op een vel papier:

PAS OP!
BESMETTINGSGEVAAR!

Dat hing ze op haar kamerdeur. Nu kon ze er zeker van zijn dat Stefan uit haar buurt bleef. Niet dat ze bang was dat hij haar een kopje thee zou brengen, dat niet, maar ze moest toch iets.

Ze pakte haar mobieltje en belde Yelien.

'Haai!' riep Yelien. 'Hoestie? We komen zo meteen bij jou op ziekenbezoek.'

'Pas dan maar op', zuchtte Eline.

'Waarom? Heb je weer een inbreker ontdekt?'

'Het is veel erger: een beer!' waarschuwde Eline.

'Serieus?' Yelien klonk verbaasd. 'Is hij gevaarlijk?'

'Zijn muil hangt al open.'

'Lientje, ik snap er niks van', zuchtte Yelien. 'Maar we kunnen toch wel komen?'

'Heel graag, ik snak naar bezoek', zei Eline.

Ze legde haar telefoon op de oplader. Na het lange gesprek van afgelopen nacht was de batterij bijna leeg. Daarna haalde ze het vriendinnenboek en de kaart van papa uit de bloemetjestas. Ze las de kaart nog een keer en zette hem tegen haar pennenbakje. Zo kon ze er vaak naar kijken. Ze maakte het vriendinnenboek open en begon te schrijven.

Gisteren heb ik een plechtig besluit genomen om Stefan aardig te vinden en om aardig tegen hem te zijn. Maar dat zal me niet lukken, ik weet het zeker. En dat ligt echt niet alleen aan mij. Oké, ik vind Stefan een grote griezel. Maar hij vindt mij ook niet aardig, dat heb ik heus wel gemerkt.

Mijn moeder begrijpt mij niet, maar ik begrijp haar ook niet. Ze luistert nooit. Nu is ze niet alleen doof, maar ook nog blind. Als ze ogen had zou ze zien dat Stefan de lelijkste sukkel is die er op twee benen rondloopt.

Hier volgt het rapport van Stefan:
Gedrag: 4
Uiterlijke verzorging: 4

Weet je waar ik ook niet tegen kan? Als grote mensen kinderachtig doen. Mijn moeder en Stefan spelen poppenkast. Zij is Poppetje en hij is Beertje. Als dat niet kinderachtig is.
Help me please! Hoe kom ik van hem af?

Eline klapte het boek dicht en zette haar laptop aan. Ze hoopte maar dat Ellen online was, anders zou ze haar even bellen. Ze was benieuwd of Ellen ook zoveel vlekjes had. En of ze zich ziek voelde. Ellen was er.

> **Lien zegt:**
  haai ellebelle!
  hoest met de zieke?
> **LL zegt:**
  ben niet ziek.
  alleen gestippeld.

> **Lien zegt:**
  laat eens zien.
  zet je webcam aan.
> **LL zegt:**
  dit is mijn arm.
  kun je het zien?
> **Lien zegt:**
  *#! ziet er niet uit.
  wil je mijn arm zien?
  kijk dan.
> **LL zegt:**
  wij lijken sprekend op elkaar.
> **Lien zegt:**
  we zijn een 2ling.
> **LL zegt:**
  heb je al ziekenbezoek gehad?
> **Lien zegt:**
  nog niet. maar ik hoor de bel.
  tot gauw.
  luf u.
> **LL zegt:**
  luf u 2.

Snel sprong Eline in haar bed. Als je ziekenbezoek kreeg, leek het echter als je in bed lag. Ze wachtte af, maar hoorde niets. Ja, nu werd er zachtjes op haar deur geklopt. Mama's hoofd keek naar binnen. 'Slaap je?'
Mama? Verbaasd keek Eline haar aan.
'Ik wou even kijken of je sliep', zei mama. 'Je vriendinnen zijn er. Mogen zij eigenlijk wel komen?

Het is toch besmettelijk?'

'Zij hebben het virus al gehad.' Eline ging rechtop zitten.

'Heb je nog iets nodig?' Mama klonk bezorgd.

Eline schudde haar hoofd. 'Anders kan Yelien het wel halen.'

Mama liep geruisloos naar beneden en de vriendinnen stommelden naar boven. Voor de slaapkamerdeur klonk de stem van Kato: 'Pas op! Besmettingsgevaar.'

Giechelend kwamen ze binnen: Yelien, Emma en Kato.

'Jij ziet er al net zo gespikkeld uit als Ellen' zei Kato.

Eline knikte. 'Ik zag haar op de webcam.'

'Wat is je moeder bezorgd, ze sloop op haar tenen de trap op,' mompelde Yelien.

'Ze voelt zich schuldig', zei Eline, 'omdat ze haar doodzieke kind een hele nacht alleen heeft gelaten.'

'In een huis met een inbreker', knikte Yelien.

'Een inbreker?' riepen Emma en Kato tegelijk.

Yelien knikte. Ze kreeg pretlichtjes in haar ogen.

'En... hoe liep het af?' vroeg Emma.

Yelien haalde diep adem. Zo hard ze kon zong ze: 'Lalalalaa!'

Eline begon te hikken van het lachen. Opeens zag ze zichzelf weer luid zingend door het lege huis lopen.

Yelien viel gierend op het bed. 'Lalahihilaaa...'

Kato en Emma keken met grote ogen toe.

Giebelend en snikkend vertelden Eline en Yelien over hun nachtelijke avontuur. Kato kwam niet meer bij van het lachen. Maar Emma zuchtte: 'Oh, Eline, wat

eng. Was je niet bang, zo helemaal alleen?'
'Vreselijk bang', hikte Eline.
Toen ze weer een beetje normaal kon praten vroeg
Yelien: 'Er was nog iets, met een beer. Wat bedoelde
je daarmee?'
Elines vrolijke stemming sloeg meteen om. 'Zijn jullie
niet in de kamer geweest?'
'We hebben bij de voordeur gewacht', zei Emma.
'Op het matje', grapte Kato.
'Dan heb je Beer niet gezien.' Eline slaakte een diepe
zucht en beschreef hoe hij eruitzag. En wat hij tegen
haar gezegd had. 'Kijk maar in het boek, dan snap je
het wel.'
De vriendinnen bogen zich over hun vriendinnenboek.
'Oh, Lientje toch, is het zo erg?' vroeg Yelien na het
lezen.
'Nog erger,' zuchtte Eline. 'Wil je hem zien?' Ze
sprong uit bed en begon zachtjes te praten. 'Als jullie
samen naar beneden gaan om wat drinken te halen,
dan kunnen jullie Beertje zien. Breng voor mij maar
een glas water mee, als je wilt.'
Ze vertrokken. Toen ze weer terugkwamen keken ze
niet blij.
'Brrr, wat een engerd', rilde Emma.
'Hij is echt erg', knikte Yelien. 'Een dikke
onvoldoende.'
'Hij moet weg', zei Eline. 'Maar hoe?'
Het was zo stil dat je hen kon horen denken.
'Tja, hoe?' zei Yelien.
Eline veerde op. 'Misschien komt hij dinsdag eten.

Zou het helpen als ik dan stiekem iets in zijn eten
doe? Een zakje peper op zijn vlees?'
'Ja, of een pak zout op zijn aardappels.' Kato werd
enthousiast.
Yelien schudde haar hoofd. 'Denk je dat Beertje zich
weg laat jagen met wat zout en peper?'
'Ik denk het niet', zei Yelien. 'We moeten iets anders
verzinnen.'
'Maar wat?' vroeg Eline. 'Voor je het weet is het
dinsdag. Aan tafel met Beertje en Poppetje, ik zie er
nu al tegenop. Bah!'

5

Toen Eline de volgende morgen wakker werd, bleef ze nog even liggen met haar ogen dicht. Ze luisterde. Het was heel stil in huis. Hoe laat zou het zijn? Half- tien, wees haar wekker aan. Toen zag ze de mok en het bord op haar nachtkastje. Ze kwam overeind en keek. Thee en een croissantje. Dat had mama natuurlijk gebracht toen ze sliep. Ze pakte de mok. De thee was koud, maar het croissantje smaakte prima. Mama had haar best gedaan. Dat mocht wel na al die kant-en-klaarmaaltijden en avonden alleen. Eline veegde de kruimeltjes van haar slaapshirt en zuchtte. Het was wel heel erg stil. Mama was naar haar werk en al haar vriendinnen zaten gezellig in de klas. Woonde papa maar wat dichterbij, zodat ze hem vaker zag. Ze miste hem zo vreselijk erg. Als papa in de buurt zou wonen, zou ze veel vaker naar hem toe kunnen. Dat zou echt te gek zijn. Als Beertje dan kwam eten kon ze gewoon zeggen: 'Ik eet vanavond bij papa.' Als dat toch eens ooit zou gebeuren... Ze kreeg er vochtige ogen van. Bah, nou niet gaan huilen.

Ze keek naar *my special boy,* die vanaf zijn poster aan de muur vol begrip terugkeek. 'Het was allemaal de schuld van die stomme scheiding', zuchtte ze zacht tegen hem. Mama wilde uitgaan en plezier maken en papa was altijd druk druk druk met werken. En als hij dan thuis was, was hij te moe om op stap te gaan. Daar was mama steeds bozer om geworden, tot ze iets heel gemeens had geroepen: 'Jij komt hier alleen maar om te slapen! Neem je bed maar mee naar je werk, dan kun je daar voortaan slapen!'

Toen was papa ver weg gaan wonen, dicht bij zijn familie. Toevallig ook nog eens dicht bij het vliegveld, wat wel handig was als je zo vaak reisde. Maar veel te ver weg om zo maar even bij hem langs te gaan.

Met haar mouw wreef Eline de tranen van haar wangen. Ze voelde de bultjes door de dunne stof heen, rilde en kroop weg onder haar dekbed. Een verdwaalde traan rolde vanuit haar oog naar het randje van haar oor, aarzelde even en floepte er toen over heen. Yèèèk! Precies in het holletje van haar oor. Met een punt van haar kussen maakte ze haar oor droog. De tranen moesten stoppen. Huilen hielp niet. Ze zou papa blijven missen, maar nooit zou ze tegen hem zeggen hoe erg het was. Nooit, nooit, nooit! Dat zou het voor hem nog moeilijker maken en dat wilde ze niet.

Hoe lang was het nu geleden dat papa weg was gegaan? Ze rekende terug: anderhalf jaar. Achttien maanden zonder papa.

Ze vouwde haar handen onder haar hoofd en dacht

terug aan die tijd. Ze wilde toen niets liever dan over papa praten, dan leek het net of hij er nog een beetje was. Haar beste vriendinnen begrepen haar wel en luisterden trouw naar haar verhalen. Toen had ze het ook tegen Xara verteld, het meisje dat naast haar in de klas zat. Xara had er niks van begrepen en reageerde woest: 'Is je vader er vandoor? Wat een rotvent!'

Eline had geen woord meer gezegd tegen Xara en was opgelucht toen ze niet lang daarna nieuwe plaatsen kregen in de klas. Stom kind, die Xara. Gelukkig zag ze haar daarna nooit meer. Xara was naar een andere school gegaan.

Ze had ook nog geprobeerd om met mama over papa te praten. Als ze 's avonds aan tafel zaten, dacht ze opeens hardop: 'Wat zou papa vandaag gedaan hebben?' Of: 'Zou papa nu ook eten?'

Maar mama's lippen waren dan een harde, rechte streep geworden waar geen woord meer overheen kon. Eline had het begrepen: mama wilde niet over papa praten.

Eigenlijk was een scheiding heel oneerlijk, bedacht Eline. Papa en mama wilden niet langer samen verder, maar aan haar werd niks gevraagd. Mama begon aan haar eigen nieuwe leven en papa moest ergens anders opnieuw beginnen. Zelf bleef ze zitten met haar oude leven, dat nooit meer werd zoals het was.

Ze veerde overeind. Waarom moest ze nu opeens aan al die droevige dingen denken? Dat was toch niet nodig? Ze was niet eens echt ziek en hoefde toch niet naar school. De hele dag kon ze lekker doen waar ze zin in had en dat ging ze niet bederven met gepieker. 'Hup, je bed uit!' zei ze streng tegen zichzelf. Ze keek in de spiegel. Het leek alsof de bultjes in haar gezicht minder werden. Minder rood ook. Of leek dat alleen maar zo? Ze boog naar haar spiegelbeeld en twijfelde. Toen piepte haar telefoon. Ze had een sms'je van Ellen.

Hoi, zieke Lientje, kom je online?
Eline zette haar laptop aan.

> **LL zegt:**
  haai, lientje
  hoestie?
  ben je nog gespikkeld?
> **Lien zegt:**
  het wordt al minder, d8 ik.
  en jij?
> **LL zegt:**
  je ziet er bijna nix meer van.
  woensdag weer naar school.
> **Lien zegt:**
  gelukkig maar!!!
  ik verveel me dood.
> **LL zegt:**
  ha, dan heb ik iets leuks voor je.
  skype.
  klik op de link
  en meld je aan.

> **Lien zegt:**
??????
> **LL zegt:**
gewoon doen.
en zet je geluid aan.

Braaf deed Eline wat Ellen had gezegd. Ze klikte op de link en moest een gebruikersnaam en wachtwoord invullen. Wat zou ze kiezen? Heel kort dacht ze na, toen wist ze het. Haar gebruikersnaam werd *Lienemieneke* en haar wachtwoord *Barcelona*. Dat moest ze meteen opschrijven. Volgende keer zat papa misschien in Tokio en dan wist ze haar wachtwoord niet meer.

Ze meldde zich aan. Meteen verscheen er een blokje in beeld. *Ellenmetspikkels meldt zich,* las ze. Ze klikte het blokje aan. Meteen klonk de stem van Ellen uit haar laptop. 'Hi Eline!'

Eline reageerde verbaasd . 'Hoi, El, hoe kan dat nou?'

'We skypen', lachte Ellen. 'We bellen nu, maar via de computer. Dat heb ik van mijn broer geleerd. Hij zit urenlang te skypen met vrienden over de hele wereld. Dat deed hij eerst per telefoon. Mijn ouders gingen telkens door het lint als ze de telefoonrekening zagen. En dit is gratis via een internetverbinding.'

Eline werd enthousiast. 'Wat een supergoed idee!' riep ze tegen haar laptop. 'Dus als ik papa deze link stuur, kan ik gratis met hem praten, zelfs als hij aan de andere kant van de wereld zit?'

'Precies', antwoordde Ellen. 'Ik heb de link ook naar

Yelien, Emma en Kato gestuurd.'
'Wat een uitvinding!' riep Eline. Ze was er even stil
van.
'Ga je nog iets leuks doen vandaag?' vroeg Ellen.
'Daar heb ik nog niet over nagedacht, ik heb
uitgeslapen', zei Eline.
'Ik ook', bekende Ellen. 'Ach, en onze arme,
ongespikkelde vriendinnen zitten zwoegend en
zwetend op school.'
Ja, zo kon je het natuurlijk ook bekijken, dacht Eline.
Opeens kreeg ze weer zin in leuke dingen. 'Ik denk
dat ik mijn haar ga wassen en dan een nieuw kapsel
bedenk. Mijn haar is lang genoeg om op te steken, ik
denk dat ik dat eens ga proberen. En jij?'
Ellen klonk geheimzinnig. 'Ik ben iets leuks aan het
maken voor ons slaapfeestje.'
'Vertel!' drong Eline aan.
'Het is nog een verrassing. Ik heb ook nog een boek
waar ik bijna niet vanaf kan blijven', antwoordde
Ellen. 'Heb je nog iets over Beer gehoord?'
'Bah! Gelukkig niet', schrok Eline. 'En van mij mag
dat zo blijven.'
'Zou Kato nog langskomen met huiswerk?' vroeg
Ellen zich hardop af.
'Dat is waar ook,' herinnerde Eline zich opeens. 'Ze
heeft er zelfs mee gedreigd. Nou, van mij mag ze
komen. Met of zonder huiswerk, dat maakt me niet
uit. Ik vind het best stil, zo alleen in huis.'
Ellen dacht daar anders over. 'Heerlijk, ik kan nu
rustig mijn plan voor zaterdag uitwerken. En ik kan
lekker lezen zonder dat mijn moeder vraagt of ik geen

huiswerk heb. Met een beetje geluk heb ik mijn boek vandaag uit. Dat is ook wel weer jammer, want het is zo'n mooi boek. Romantisch en droevig tegelijk.'
'Mag ik het lenen?' vroeg Eline.
'Dat mag, maar dan ga ik nu gauw verder lezen. We bellen nog wel.'
'Ja, of we skypen', riep Eline enthousiast. 'Daag, lees ze. En werk ze, je maakt me nieuwsgierig.'
Ze hoorde een vage kraak in haar laptop. Ellen was weg. Nu ging ze meteen een mail naar papa sturen, met de link van Ellen. Misschien konden ze vandaag of morgen al samen skypen. Dat zou fantastisch zijn. Ze was benieuwd. Alleen van die gedachte al werd ze vrolijk.
Op de badkamer vond ze nieuwe monsterpakketjes. Die had mama zeker meegebracht van haar werk. Eline bekeek de kleine flesjes een voor een. Er zat een nieuwe shampoo bij die volgens de verpakking naar vanille rook, net als de glanscrèmespoeling en de haarversteviger. In een ander doosje zat doucheschuim en bodylotion, ook met vanillegeur. Eline draaide een flesje open en rook eraan. Mmm, lekker. Het was toch niet slecht als je moeder bij een groothandel in verzorgingsproducten werkte. Zacht neuriënd draaide ze de douchekraan open.
Een uur later keek ze tevreden naar haar spiegelbeeld. Haar nieuwe kapsel was gelukt. Met wat haarspeldjes had ze haar krullen losjes bij elkaar gestoken.
Het stond haar goed, vond ze zelf.
Ze trok haar roze velours huispak aan en liep op

haar slippers naar de keuken om wat drinken
in te schenken. Weer terug op haar kamer zette
ze zachtjes een cd op en pakte haar schrift met
gedichten. Een tijdlang zat ze alleen te bladeren en te
lezen. Toen dacht ze na over een nieuw gedicht. Pas
na een hele poos schreef ze de regels in haar schrift:

Voor papa

*Als ik ooit een wens mocht doen
dan wenste ik dat ik jou zag
niet af en toe, maar elke dag.
Veel liefs van mij, een dikke zoen.*

Eline lag languit met haar nieuwste magazine op de
bank toen de bel ging. Het was Kato, zag Eline door
het kleine raampje van de voordeur.
'En? Heb je huiswerk meegebracht?' vroeg ze terwijl
ze met een zwaai de deur opende.
Kato schudde haar hoofd, haar krullen schudden
mee. 'Het mocht niet van mevrouw Peeters. Toen
ik vertelde dat Ellen en jij een besmettelijk virus
hadden, vond ze dat ze jullie met rust moest laten.
Ze wilde niet dat de hele school het virus zou krijgen
omdat jullie niet voldoende uitgerust waren.'
Eline sloot de deur achter Kato. 'Dat zou wat zijn!
Stel je voor dat de hele school moet sluiten omdat de
babysitters van Tom en Lize een virus verspreiden!'
'Dan hebben wij lekker vrij, terwijl Tom en Lize

al lang weer beter zijn', lachte Kato. 'Maar ik heb
niet tegen mevrouw Peeters verteld dat jullie een
kinderziekte hebben.'

'Gelukkig,' zuchtte Eline, 'dat klinkt zo kinderachtig.
Maar kijk eens naar mijn gezicht: zie jij nog rode
bultjes?'

Kato kwam dichterbij, keek en schudde haar hoofd.
'Ik zie niks, maar wat zit je haar leuk! En het ruikt
hier heerlijk. Heb je iets lekkers gebakken?'

'Ik?' vroeg Eline verbaasd. 'Hoe kom je daar nu bij?'

Kato snoof nog eens diep. 'Het ruikt hier zo lekker
naar vanille.'

Opeens wist Eline hoe dat kwam. 'Dat is de nieuwe
shampoo van mijn moeders werk. Als je het echt
lekker vindt, vraag ik wel of ze voor jou ook wat
meeneemt.'

'Shampoo?' Kato klonk teleurgesteld. 'Nee, laat
maar. Ik dacht aan vanillekoekjes of appeltaart.
Jammer.'

Typisch Kato, Eline lachte. 'Hoe was het op school?'

'Saai als altijd', zuchtte Kato. 'Maar Emma is nu
even naar Ellen, samen met Yelien. Daarna mag
ze babysitten bij haar buren en ik mag mee. Dus
vanavond kunnen we ons spaarvarken weer spekken.
Ik ben zo benieuwd wat we met al dat geld gaan
doen.'

Eline trok haar wenkbrauwen op. 'Zo veel zit er toch
nog niet in?'

'Nog niet, maar een vriendin van Brigitte heeft
gevraagd of we vrijdagavond komen oppassen',
vertelde Kato. 'En een schoonzusje van Brigitte wil

voortaan elke dinsdagavond naar de fitness, maar dan heeft haar man voetbaltraining. Daar mogen we dus ook heen.'

Eline keek verbaasd. 'Wij krijgen het echt druk met babysitten.'

Kato knikte. 'Brigitte deelt overal de kaartjes uit die Ellen heeft gemaakt.'

'We gaan echt veel geld verdienen', riep Eline.

'Fantastisch!' Opeens schoot haar iets te binnen. 'Weet je wat ook fantastisch is?'

'Nou?' vroeg Kato.

'Skype!'

'Skype? Geen flauw idee', zei Kato.

'Kom mee.' Eline liep naar haar kamer en klikte op het Skypesymbool op haar bureaublad.

'Een computerprogramma?' vroeg Kato teleurgesteld.

'Wacht maar af', beloofde Eline. Na wat gekraak ging ze verder. 'El, ben je daar?'

'Nou en of', klonk de stem van Ellen.

'Wij zijn er ook, hoor', klonken Yelien en Emma door elkaar.

'Wow!' riep Kato.

'Ha, Kaatje!' gilden drie stemmen opeens.

'Dit is super', vond Kato. 'Hoe hebben jullie dit ontdekt? Nu kunnen we urenlang bellen zonder dat onze ouders klagen over de telefoonrekening.'

'Dat was juist de bedoeling', lachte Ellen.

'Ja, fantastisch', zei Emma erachteraan. 'Ik heb Paulien ook een link gestuurd. Dan kunnen we lekker bijkletsen via de computer.'

'Zeg, El,' begon Eline, 'wel tof van mevrouw Peeters

dat ze ons geen huiswerk gaf.'

'Ik ben bang dat we dat straks toch weer in moeten halen', zei Ellen nuchter.

'Zou je denken?' schrok Eline. Toen dacht ze opeens aan het boek waar Ellen over vertelde. 'Heb je dat mooie boek al uit?'

'Bijna', antwoordde Ellen. 'Vanavond in bed lees ik de laatste hoofdstukken, daarna mag jij het lenen.'

'Ik hoor wat', zei Kato.

'Wat hoor je dan?' vroeg Emma.

'Nee, het komt niet van jullie,' meende Kato. 'Stil, ik hoor weer wat.'

Iedereen was stil.

Eline luisterde. Beneden viel de voordeur dicht. 'Mijn moeder komt thuis', stelde ze de vriendinnen gerust. Ze praatten verder.

'Ik hoor toch weer wat', zei Kato.

'Jeetje, Kato, wat is er met jouw oren?' vroeg Yelien.

'Sorry, ik kan er niks aan doen, maar ik hoor telkens iets.'

Opnieuw waren ze stil. Eline glipte zachtjes weg van haar laptop en trok haar deur op een kier. Ze luisterde even en kwam weer terug. 'Kato heeft gelijk', zuchtte ze. 'Mijn moeder is aan het bellen en jullie raden nooit met wie.'

'Met Beertje', riepen Yelien, Ellen en Emma in koor.

'Ja', zei Eline somber.

'Maar hij komt toch pas morgen eten?' vroeg Yelien.

'Ja, jammer genoeg wel', antwoordde Eline.

'Maak je maar geen zorgen', beloofde Yelien. 'Morgen komen wij je helpen.'

'En ik ook', viel Kato haar bij.
'Gelukkig maar,' vond Eline, 'ik heb jullie hulp heel
hard nodig. Deze poppenkast moet echt niet langer
duren. Ik zie nu al als een berg op tegen morgen.'

De nieuwe dag leek wel een verwendag te worden.
In de kast in de badkamer ontdekte Eline een
heleboel doosjes met gratis monsters. Op haar gemak
las ze de opschriften.
Na haar vanilledouche koos ze een tube met een
kalmerend masker. *Goed voor de geïrriteerde huid*
stond erop. Kwam dat even mooi uit. Haar gezicht
had wel een roodgespikkeld maanlandschap geleken.
Nu niet meer, gelukkig, maar zo'n maskertje was
altijd goed. Met twee wattenschijfjes op haar ogen
bleef ze een kwartier heel stil op haar bed liggen,
om het masker in te laten werken. Met lauw water
spoelde ze haar gezicht schoon en smeerde het in
met een kalmerende dagcrème. Haar huid voelde
weer zacht en glad. Ze voelde zich licht en luchtig
toen ze haar laptop aanzette. Ze had geen mail, ook
niet van papa, hij had zeker nog geen tijd gehad. Zou
Ellen op Skype zijn? Ja, ze was er.
'Hi, El, alles goed?' vroeg Eline.
'Ik voel me kiplekker', reageerde Ellen. 'En jij?'
Eline knikte, maar dat kon Ellen natuurlijk niet zien.

'Lekker relaxed. Ik heb net een heerlijk maskertje genomen.'

'Gelukkig mogen we morgen weer naar school', vond Ellen.

'Ja, het wordt tijd', gaf Eline toe. 'Hoe is het met je geheime plannen voor ons slaapfeestje?'

'Dat zie je zaterdag', zei Ellen geheimzinnig.

'Flauw, hoor. En je boek?'

'Ik heb het uit', zei Ellen. 'Het einde was zo mooi, meer verklap ik niet. Zal ik het komen brengen?'

'Super!' Eline werd helemaal enthousiast. 'Nog zo'n saaie dag als gisteren red ik echt niet meer.'

'Ik breng twee overheerlijke, kersverse stokbroodjes mee', kondigde Ellen aan. 'Dan kunnen we gezellig samen lunchen. Tot zo.'

Toen Ellen aanbelde had Eline al twee placemats op tafel liggen, de mooie zwarte, met de matgouden rozen. Er tussenin brandde een zwarte kaars in een matgouden kandelaar.

'Gezellig', knikte Ellen. 'Dat is heel wat leuker dan in je eentje thuis rondhangen.'

'Ik werd er helemaal treurig van', zei Eline. 'Lust je citroenthee of heb je liever aardbeien?'

'Citroen', zei Ellen. Ze legde het boek en twee papieren zakken op tafel. 'Mijn moeder dacht vast dat ik uitgehongerd was, moet je kijken: het zijn kanjers van broden met alles erop en eraan. Die krijg ik toch nooit alleen op?'

'Nee, dat lukt je nooit', vond Eline.

Ze gingen aan tafel en knabbelden aan het stokbrood.

'Dit is echt gezellig', zei Eline tussen twee happen.

Ellen knikte. 'Ja, zo is ziek zijn wel leuk.'
Opeens klonk het geluid van de sleutel in de
voordeur. Een paar tellen later stond Elines moeder
met twee boodschappentassen op de drempel van
de kamer. Met grote ogen van verbazing keek ze van
Eline naar Ellen. En toen naar de placemats. 'Heb
je mijn mooie placemats gebruikt? Die had ik voor
vanavond in gedachten. Er zitten toch zeker geen
vlekken op?'
Schuldbewust tilden Ellen en Eline hun borden op.
'De mijne is schoon', mompelde Eline.
'De mijne ook', zei Ellen zacht.
'Gelukkig.' Elines moeder begon de boodschappen
uit te pakken. Eline en Ellen keken zwijgend toe,
haast makend met hun broodje. Met de laatste hap
nog in haar mond schudde Eline de placemats uit
boven de gootsteen en legde ze terug in de la. 'Kom',
wees ze met haar hoofd en ze liep voor Ellen uit naar
haar kamer. Halverwege de trap hoorde ze de stem
van haar moeder. 'Eline, ik heb voor jou een pizza
meegebracht voor vanavond. Je zult vast nog te moe
zijn om zo lang te tafelen. Is dat goed?'
'Mij best', bromde Eline. Maar zodra ze op haar
kamer was barstte ze los. 'Heb je dat gezien, die
boodschappen?' siste ze tegen Ellen. 'Gerookte zalm,
een flesje cocktailsaus, kreeftensoep, biefstukjes,
slagroom, aardbeien, chocolademousse...' Ze stopte
even om naar lucht te happen. 'Het lijkt wel of de
koning komt eten, in plaats van dat vadsige Beertje.
Tjongejonge, en ik mag natuurlijk weer een pizza in
de oven schuiven.'

'Ja', zuchtte Ellen. 'Maar je hoeft gelukkig niet de hele avond tussen Beertje en Poppetje aan tafel te zitten.'

'Ja, zo kun je het ook bekijken', knikte Eline. 'Ze wil me er gewoon niet bij hebben. Ik ben te veel.' Bah, nu sprongen er tranen in haar ogen.

Ellen sloeg een arm om haar heen. 'Ik kan me best voorstellen dat je er verdrietig van wordt. Ik zou het vreselijk vinden als mijn moeder zo akelig tegen me deed.'

Eline wreef haar ogen droog. 'Jouw moeder koopt tenminste nog lekkere broodjes voor je als je ziek bent. Mijn moeder denkt gewoon: hoe raak ik dat kind kwijt, zodat ik romantisch met Beertje kan dineren?' Opnieuw kwamen de tranen.

Ellen slaakte een diepe zucht, terwijl ze zachtjes over Elines schouder aaide. 'Je mag wel bij mij komen eten.'

'Dat vind ik heel lief,' snikte Eline, 'maar ik kan toch niet elke dag bij jou eten omdat Beertje hier is of mijn moeder bij hem?'

'Van mij mag het', zei Ellen royaal.

Eline snoot haar neus. 'Misschien word ik nog eens heel erg ziek omdat ik altijd diepvrieseten krijg of kant-en-klaarmaaltijden.'

'Daar zitten toch ook vitamines in', dacht Ellen hardop.

Eline pakte een papieren zakdoekje om haar ogen te deppen. 'Jammer. Het zou net goed zijn voor mijn moeder als ik er wel flink ziek van werd. Dan zou ze wel anders doen.'

Ellen knikte. 'Ja, dit is echt niet normaal.'

'Ik hou dit niet heel lang meer vol', fluisterde Eline.
Ze voelde opeens zoveel tranen komen, het leek wel
een overstroming.
Ellen maakte een nieuw pakje papieren zakdoekjes
open en gaf er een aan Eline.
'Nu spoelt mijn nieuwe crèmepje ook nog weg. En
het was nog wel zo zacht.' Eline boende maar weer
eens over haar gezicht. 'Straks zijn mijn ogen dik en
rood... dan zie ik er helemaal niet meer uit.'
'Je kunt toch plakjes komkommer op je ogen leggen?'
vroeg Ellen. 'Of watjes met kamillethee?'
Eline keek op. Plotseling schoot ze in een lachstuip.
Ze kon niet meer stoppen, ze snikte van het lachen.
Met grote ogen keek Ellen haar aan.
'Ik zit me hier druk te maken om rode ogen', begon
Eline. 'Alsof dat er nog iets toe doet... Hihihi, daar
gaat het toch niet om?'
Ellen giechelde mee, allang blij dat haar vriendin
weer lachen kon. 'Hahaha, rode ogen... ben je mal.
Op foto's heb ik altijd rode ogen.'
'Ja, klopt,' hikte Eline, 'maar in het echt gelukkig
niet.'
'Op foto's kun je ze weghalen...' lachte Ellen, 'rode
ogen, bedoel ik.'
'Kon dat in het echt ook maar', zei Eline. Ze veegde
haar lachtranen weg en werd weer ernstig. 'Zie ik er
stom uit?'
'Nee, alleen een beetje rode ogen.' Ellen begon weer
te lachen. 'Niet echt, hoor, het is maar een grapje.'
Ze kregen een slappe lach, waar geen einde aan leek
te komen. Telkens als ze elkaar aankeken begon het

opnieuw. Midden onder het hikken en snikken stond Elines moeder in de kamer, ze hadden haar niet eens gehoord. Ze keek van de een naar de ander. 'Zo, het is hier een gezellige boel. Ik ben een uurtje naar de kapper.' En weg was ze.

'Jaja', mompelde Eline, 'het is hier zeker een gezellige boel. Kom, dan gaan we naar beneden. Heb je zin in een plakje zalm, of in aardbeien met slagroom?'

Ellen hield haar adem in. 'Dat kun je niet maken, Eline.'

'Grapje', lachte Eline. 'Maar ik heb wel een leuke soapserie op dvd, zullen we daar naar kijken?'

Halverwege de soap werd er hard en lang gebeld. 'Dat zal Kato zijn', raadde Eline.

En het was Kato, in het gezelschap van Yelien en Emma. Ze gingen op de grond zitten, voor de bank met Eline en Ellen. Kato ritste haar rugzak open, rommelde wat en er kwam een zakje gemalen peper en een pak zout tevoorschijn. 'Hier krijgen we Beertje wel mee weg. Het is tijd voor actie!'

'Nou...' begon Ellen, 'een paar scheppen zout op die aardbeien zal vast wel helpen.'

Eline lachte. 'Wat dacht je van chocolademousse met peper?'

'Of ijsklontjes in zijn schoenen', riep Yelien. 'Tenminste, als hij zijn schoenen uitdoet.'

'Die is leuk', vond Emma. 'Ik zie het al voor me hoe hij nietsvermoedend in zijn schoenen stapt en dan meteen een paar kletsnatte sokken heeft. Hahaha!'

'Weet je wat mij leuk lijkt?' bedacht Kato. 'Stroop in

zijn schoenen! Plakkerige sokken, stroop tussen zijn tenen...'

Eline knikte. 'De ideeën zijn goed. Maar ik krijg natuurlijk meteen de schuld, dat is duidelijk.'

Daar werden ze even stil van.

'Je hebt gelijk', zei Yelien. 'Jammer, van chocolademousse met peper kun je een geweldige niesbui krijgen.'

'Konden we maar blijven om te kijken hoe het afloopt', zuchtte Kato.

'Dat zou pas echt fijn zijn, als jullie allemaal konden blijven', vond ook Eline. 'Maar we moeten wel iets anders bedenken, iets waar ik niet meteen de schuld van krijg. Ik bedoel, ze moeten niet merken dat ik het expres heb gedaan.'

'Wie heeft er een ander idee?' vroeg Yelien.

Toen kwam Elines moeder terug van de kapper. 'En... hoe vinden jullie mijn nieuwe kapsel?'

'Leuk!' riepen ze overdreven enthousiast.

'Ja, dat vond ik ook.' Elines moeder zette haar laktas naast de bank. 'Ik ga nu even kokkerellen, over een uurtje is Stefan hier.'

'Zou ze ons gehoord hebben?' fluisterde Emma toen Elines moeder naar de keuken verdween.

'Vast niet', stelde Eline haar gerust. 'Maar we moeten nu zachtjes praten, als ze ons hoort gaat het plannetje niet door.'

Yelien knikte. 'Maar welk plannetje? Wie bedenkt er iets?'

'Stroop en ijsklontjes vond ik wel erg leuk', zei Emma. 'Zou Eline daar meteen de schuld van krijgen? Haar moeder kan toch ook geknoeid hebben met planten water geven, of met iets anders?'

'Met stroop zeker?' zuchtte Eline.

'Ja, maar dan moet Beertje wel eerst zijn schoenen uitdoen en dat weten we niet zeker', fluisterde Ellen.

'Als hij zijn schoenen aanhoudt gaat het feest niet door,' mompelde Kato. 'Daarom moeten we een ander plan bedenken, als reserve.'

Het werd stil. Iedereen dacht na. En midden in die stilte klonk een tinkelend geluid uit de laktas naast de bank. Eerst zachtjes, toen steeds harder. Eline aarzelde, heel even maar. Toen pakte ze de telefoon uit de tas. 'Het is Beertje', schrok ze. Meteen hield het gerinkel op.

Vragend keek Eline haar vriendinnen aan. 'Waarom zou hij bellen? Hij zou hier toch al bijna moeten zijn.'

'Misschien is er iets tussengekomen', bedacht Kato. 'Nu belt hij om te zeggen dat hij niet komt.'

Meteen rinkelde de huistelefoon. Eline stoof er op af. 'Dat zou mooi zijn', zei ze snel. Ze nam op. 'Met Eline.'

'Daag, meisje', klonk de stem van Stefan.

Eline draaide zich om naar haar vriendinnen, wees op de telefoon en knikte. Haar lippen vormden het woord *Beertje*.

'Is je moeder in de buurt?' vroeg Beertje.

Eline twijfelde. 'Ze is in de keuken bezig.'

'Aha, lekkere hapjes aan het maken', stelde Beertje verheugd vast. 'Wil je een boodschap aan haar doorgeven?'

Eline knikte. 'Ja hoor.'

'Er is een ongeluk gebeurd', ging Beertje verder. 'Ik zit in een gigantische file. Wil je doorgeven dat ik nog minstens een uur onderweg ben?'

'Ja, hoor,' zei Eline, 'dat zal ik doen.'

'Bedankt. Dag, meisje.'

Met de telefoon in haar handen kroop Eline weer op de bank. Vier paar ogen keken haar vol spanning aan.

'En?' drong Yelien aan.

'Beertje komt minstens een uur later', fluisterde Eline. 'Hij zit in de file. Hij vroeg of ik de boodschap door wilde geven.'

'Yes!' zei Ellen met ingehouden stem. 'Dit is ons reserveplan.'

Eline aarzelde. 'Je bedoelt, dat ik niet moet zeggen dat hij heeft gebeld?'

Ze knikten alle vier.

'Dat is wel een beetje gemeen', vond Emma.

Eline knikte. 'Heel erg vals.'

'Maar het is misschien wel een goed idee om van Beertje af te komen', dacht Kato hardop.

Eline aarzelde. 'Zou je denken?'

Kato werd enthousiast. 'Natuurlijk. Je moeder staat al een uur in de keuken haar best te doen. Als Beertje niet gauw komt wordt ze vast boos op hem. Dat is toch de bedoeling?'

'Eigenlijk wel', zei Eline langzaam.

'Nou dan...' drong Kato aan.

'Ik vind het ook wel zielig voor mama', zuchtte Eline.

Yelien knikte. 'Ik snap het wel. Maar je moet nu kiezen: of het is vanavond zielig voor je moeder. Of het blijft nog heel lang zielig voor jou.'

Ellen viel haar bij. 'Denk maar even aan wat er vanmiddag gebeurde, dat gedoe met die placemats omdat Beertje kwam eten. En die diepvriespizza. Je was er heel verdrietig om.'

'Jullie hebben gelijk', gaf Eline toe.

Opnieuw rinkelde de telefoon. Geschrokken keken ze elkaar aan. 'Jeetje, die Beer weet niet van ophouden', zuchtte Eline. Met tegenzin nam ze op, ze zei niet eens haar naam. 'Ja?'

'Hallo, Lienemieneke, met papa. Hoe is het? Alles goed daar?'

'Papa!' juichte Eline tegen de telefoon. 'Waar ben je?'

'Ik zit nog in Barcelona. Het duurde allemaal wat langer dan verwacht, maar morgen vlieg ik naar huis. Zullen we wat afspreken?'

Afspreken, dacht Eline. 'Leuk! Ja graag.'

'Gaat het wel goed met je?' vroeg papa.

'Ja, hoezo?'

'Je stem klonk anders. Je zei niet eens je naam toen je de telefoon opnam.'

'Oh.' Zie je wel, papa kende haar echt, hij merkte meteen dat er wat aan de hand was. Maar ze moest hem niet ongerust maken, hij had al genoeg aan zijn hoofd. Er waren vast dagen bij dat hij niet eens wist in welk land hij wakker werd. Ze liet haar stem zo gewoon mogelijk klinken toen ze zei: 'Oh, dat komt misschien omdat al mijn vriendinnen hier zijn. We zaten te kletsen.'

'Dat klinkt gezellig. Zullen we vrijdagavond samen uit eten gaan? Dan kunnen we eindelijk ook eens bijkletsen. Kun je vrijdag?'

'Ja, natuurlijk', knikte Eline.

'Goed,' zei papa, 'dan haal ik je rond zes uur op. Doe mama de groeten. Dag Lienemieneke.'

'Dag pap. Kus, dikke kus.'

De keukendeur ging open. Met een verhit gezicht kwam Elines moeder voorbij. 'Wie was er aan de telefoon?'

'Dat was papa', zei Eline. 'Hij belde vanuit Barcelona, maar vrijdagavond ga ik met hem eten. Je moet de groeten hebben.'

De mondhoeken van haar moeder gingen spontaan naar beneden. 'Ik ga me even optutten', mompelde ze.

De vriendinnen zwegen tot de voetstappen boven aan de trap verdwenen.

'En? Wat doe je?' drong Ellen aan.

'Natuurlijk ga ik met papa uit eten', lachte Eline. 'Dat vind ik echt helemaal te gek.'

"Dat bedoel ik niet', zei Ellen. 'Ik vind het leuk voor je dat je vader belt, maar wat doe je met Beertje? Zeg je wel of niet tegen je moeder dat hij heeft gebeld?'

Eline slaakte een diepe zucht. 'Ik zeg niet dat Beertje heeft gebeld', besloot ze toen. 'Maar ik vind het wel eng, heel spannend. Jullie laten me toch niet alleen?'

'Ik bel wel naar huis om te vragen of ik hier mag blijven', bood Ellen aan. 'Dan delen we samen jouw diepvriespizza.'

Eline vloog haar vriendin om de hals. 'Je bent een schat, dank je wel.'

Ellen mocht blijven, maar Emma keek op haar horloge. 'Ik moet echt gaan, anders ben ik te laat voor het babysitten.'

'O jee, ik ook', schrok Kato. 'Sorry, Eline, ik was liever
bij je gebleven, maar we hebben dit afgesproken.'
'Natuurlijk,' zei Eline, 'het is allemaal voor het goede
doel: ons spaarvarkentje. Ga maar gerust, Ellen blijft.
Zolang ik niet alleen ben is het goed.'
'Dan ga ik ook maar', zei Yelien. 'Het is al etenstijd.
Ze zitten thuis vast op me te wachten.'
Toen ze met zijn vijven naar de voordeur liepen
daalde Elines moeder de trap af, een wolk van parfum
zweefde met haar mee. Ze was niet langer de verhitte
kokkin uit de keuken, nee, ze had nu meer weg van
een filmster. Alleen de rode loper ontbrak. Haar
zwarte, zijden jurkje tot net boven de knie ritselde
bij elke stap die ze op haar adembenemend hoge
naaldhakken zette. Haar opgemaakte ogen fonkelden,
net als haar halsketting en armband. Om haar mond
zweefde een gelukzalige glimlach.
Ademloos bleven de vriendinnen staan kijken. Wow!
Daar kwam iemand. Geen moeder maar een filmster!
Eline kneep zo hard in Ellens arm, dat haar nagels
een afdruk in de huid achterlieten. 'Help,' fluisterde
ze, 'ik wil hier weg.'
'Dag allemaal, nog een fijne avond', lachte Elines
moeder met een lach die zo in de tandpastareclame
kon.
Zachtjes sloot Eline de voordeur achter haar
vriendinnen. Ze voelde haar knieën knikken. 'Ik weet
niet of ik dit volhoud', zuchtte ze tegen Ellen.
'Je moet', zei Ellen, 'en je kunt het. We zijn toch
samen?'
'Gelukkig wel. In mijn eentje zou ik dit niet kunnen.

Zullen we naar mijn kamer gaan?'
'En de pizza dan?' vroeg Ellen. 'Ik lust wel wat.'
'Maar dan moet ik naar de keuken', protesteerde
Eline. 'En daar is mijn moeder. Ik vind het zo zielig
voor haar.'
'Eline, kijk me aan', zei Ellen ernstig. 'Yelien had
gelijk. Je kon kiezen: of je moeder heeft geen leuke
avond, of jij hebt geen leuk leven. Je koos voor jezelf
en dat werd tijd. Dus haal diep adem, tel tot tien en
gooi die pizza in de oven. Doe alsof er niets aan de
hand is. Je kunt het.'
Eline kneep haar ogen stijf dicht, haalde adem en
begon te tellen. Een, twee, drie... 'Oké, we gaan
ervoor.' Een pizza opwarmen was toch zo gebeurd?
Vergeet het maar. Vandaag leek het veel langer
te duren. Eerst moest ze die oven tien minuten
voorverwarmen en daarna had die pizza nog eens
vijftien minuten nodig. Bijna een halfuur! En al die
tijd liep haar moeder op die wiebelig hoge hakken
naar de klok te kijken. Ze zag eruit als een prinses,
maar dan wel een ongelukkige prinses. Eline had wel
tien, nee, wel honderd keer willen roepen dat Beertje
later kwam, maar ze klemde haar lippen stijf op
elkaar.
Het moest, anders was alles voor niks geweest en
zat ze, misschien wel voor de rest van haar leven,
opgezadeld met die ongelikte beer.
'Waar blijft hij toch?' hoorde ze haar moeder
mompelen. 'Hij zal toch zo wel komen? Ik denk dat
ik vast een glaasje wijn inschenk. Dat heb ik wel
verdiend.'

Toen rinkelde het belletje van de oven. De pizza was eindelijk klaar. 'Kom, naar boven', siste Eline tegen Ellen.

Eline kon nauwelijks een hap door haar keel krijgen.
'Toe, neem een punt', drong Ellen aan. Ze had al drie
stukken op.
'Ik ben al blij als ik gewoon adem kan halen', zuchtte
Eline. Ze luisterde. Beneden tikten de hakjes op de
tegelvloer.
'Maar je moet toch wat eten', vond Ellen.
Eline schudde haar hoofd. 'Ik vind het allemaal te
spannend om te kunnen eten.'
Ellen nam nog een punt. 'Leg eens uit.'
'Tja, wat moet ik uitleggen?' vroeg Eline.
Ellen stopte met eten. 'Zeg dan gewoon wat je voelt.'
'Mijn gevoel...' dacht Eline hardop. 'Wat ik voel klopt
eigenlijk niet.'
'Hoezo niet?'
'Aan de ene kant snap ik wel waarom mama zo doet.
Ze wil uitgaan, plezier maken... Eigenlijk wil ze
gewoon een nieuwe vriend, een soort papa, maar dan
een die veel tijd voor haar heeft. Aan de andere kant
ben ik heel boos op mama. Ze doet net alsof ik niet
besta. Soms, tenminste. Als ze...'

Eline slikte. 'Ik vind het best lastig om dit te vertellen.'

'Kom op, we zijn vriendinnen', drong Ellen aan.

'Als ze iemand tegenkomt die ze leuk vindt, vergeet ze gewoon dat ik er ook nog ben', ging Eline verder. 'Dan komt ze niet eens thuis om te eten. Ze heeft dan wel altijd wat in de koelkast of de vriezer en ze belt ook wel om te zeggen dat ik maar iets op moet warmen, maar toch... Dan tel ik opeens niet meer mee. Weet je nog dat ik een slecht cijfer voor wiskunde had? Mijn moeder moest bij meneer Klaassen komen op de ouderavond. Weet je nog hoe dat afliep?'

Ellen knikte.

Eline ging verder. 'Opeens ging het niet meer over mijn onvoldoende voor wiskunde. Opeens had ze een afspraakje met mijn wiskundeleraar. Gelukkig was meneer Klaassen zo verstandig om de afspraak af te zeggen, anders had ik hier nu misschien wel met hem gewoond. Ik mag er niet aan denken. Alhoewel, nu ik Beertje heb gezien denk ik: toch liever meneer Klaassen. Snap je? Ik vind die Beertje zo'n griezel...'

Ellen rilde. 'Hij is ook eng, hij is de grootste griezel die ik ooit in het echt gezien heb. Ik zou niet met hem in hetzelfde huis willen wonen.'

'Precies!' riep Eline. 'Maar mijn moeder denkt daar niet bij na. Ze vergeet gewoon dat ik er ook nog ben.'

'En daarom wordt het tijd dat jij eens voor jezelf opkomt', zei Ellen. 'Weet je wat het met jou is?'

'Nou?'

'Je hebt medelijden met alles en iedereen', ging Ellen verder. 'Je hebt begrip voor alles wat mensen bezielt, maar je vergeet jezelf. Draai de boel eens om. Doe

maar eens egoïstisch en denk vanuit jezelf. En wat zie
je dan?'

Eline dacht na.

'Nou, wat zie je dan?' drong Ellen aan.

Eline haalde haar schouders op. 'Ik weet het niet. Zeg
jij het maar.'

'Beloof je dat je niet boos op me wordt?' vroeg Ellen.

Eline trok haar wenkbrauwen op. 'Hoezo boos?'

'Zweer je dat we vriendinnen blijven?'

'Ja, natuurlijk', verzekerde Eline haar.

'Goed,' zei Ellen, 'dan vertel ik jou wat ik ervan vind.
Niet boos worden, hoor, maar je moeder laat jou
behoorlijk in de steek als ze het ergens anders leuker
vindt. Het is toch niet normaal dat je zo vaak uit de
vriezer eet en zo dikwijls alleen bent? En je vader
heeft veel te weinig tijd voor jou.'

'Dat is nogal logisch', zei Eline. 'Hij werkt hard en is
veel op reis.'

Ellen sperde haar mond en ogen open. 'Nu doe je het
weer!'

'Wat?'

'Snap je het dan niet?' riep Ellen. 'Je vader heeft
nooit tijd voor je en je moeder heeft nooit tijd voor
je. Jij hebt begrip voor je vader, je hebt begrip voor
je moeder, je hebt medelijden met allebei, maar
intussen voel je je doodongelukkig. Je houdt jezelf
voor de gek, zie je dat dan niet?'

Eline was een hele poos stil. Ze dacht na. 'Jeetje, El,
je hebt wel een beetje gelijk, wat mijn moeder betreft,
bedoel ik.'

'Eindelijk', zuchtte Ellen. 'Hou dan toch eens op met

je eeuwige medelijden en denk ook eens aan jezelf.'
Eline knikte. 'Maar waarom moest ik nu zweren dat
we vriendinnen zouden blijven?'
'Ik dacht dat je misschien boos zou worden als ik iets
over je vader zou zeggen.'
'Nee hoor', zei Eline. 'Ik weet dat hij te veel met zijn
werk bezig is, veel meer dan ik zou willen. Maar als
ik hem nodig heb dan weet ik zeker dat hij er voor
me is. Op mijn vader kan ik rekenen. Bij mijn moeder
weet ik nooit wat ik aan haar heb.'
'Gelukkig', zei Ellen. 'Neem je nu toch een puntje
pizza?'
'Mij best', zei Eline. Ze at een pizzapuntje. Toen hield
ze haar hoofd stil en luisterde. Beneden was het stil
geworden. Op haar tenen sloop ze naar de deur en
trok die op een kier. Een vieze, aangebrande lucht
drong haar neusgaten binnen. Ojee, dat was niet best.
Ellen sprong op en wenkte. 'Ik hoor een auto
stoppen', fluisterde ze.
Samen slopen ze naar het raam, net op tijd.
'Daar is Beertje', fluisterde Eline. 'Yèèèk! Ik vind dit
zo eng. We moeten duimen dat het goed afloopt voor
ons.'
'Voor jou', verbeterde Ellen haar.
Met zijn zware, waggelende stap liep Beertje naar
de voordeur. Ze hoorden de bel en glipten naar de
kamerdeur, die nog op een kier stond. Nu hoorden
ze de hakjes vinnig tikken in de gang. Met een zucht
ging de voordeur open.
'Dag Poppetje', klonk de stem van Beertje.
Toen snerpte een hoge stem door de gang. 'Zeg, wat

denk jij wel niet? Uren heb ik me uit staan sloven in de keuken. En jij? Je hebt niet eens het fatsoen om te bellen dat het later wordt. Wat dacht meneer dan? Dat het hier soms een inloophuis is? Ik denk het niet, de keuken is gesloten!'

'Ja maar, Poppetje,' probeerde Beertje, 'ik heb je gebeld...'

De rest van de zin ging verloren in de knal waarmee de deur werd dichtgesmeten. In de gang klonk gesnik.

Ellen trok Eline mee naar het raam. Buiten stond Beertje naast zijn auto met een beteuterd gezicht naar de voordeur te staren. Langzaam gleed zijn blik omhoog naar het raam. Eline en Ellen doken pijlsnel weg. Met bonkend hart wachtte Eline af. Alles bleef stil. Voorzichtig gluurde ze over de rand van de vensterbank. 'Hij stapt in', fluisterde ze tegen Ellen. 'Moet je kijken, nu hij ingestapt is zakt de auto helemaal in.'

'Dat heb je met zo'n beer achter het stuur', giechelde Ellen stilletjes.

Langzaam reed de auto weg, gevolgd door twee platgedrukte neuzen achter het raam.

Eline sloot geruisloos haar kamerdeur. 'Oef! Het is voorbij.'

'Het is gelukt', zei Ellen. 'Je hebt het voor elkaar gekregen. Beertje is weg, die zien we nooit meer terug.'

'Dat moeten de anderen weten', vond Eline. Ze pakte haar telefoontje en toetste een berichtje in:

Plan gelukt. Beertje is weg.

Ze kreeg meteen antwoord.
Goed gedaan sms'te Yelien.
Kato en Emma zijn blij voor je was het tweede bericht.
'Nu lust ik wel een lekker stuk pizza', zei Eline.
Ellen trok een vies gezicht. 'Koude pizza?'
'Dat maakt niet uit', lachte Eline. Tevreden peuzelde
ze twee pizzapunten op. 'Heb je nog gehoord wat
Beertje zei?' vroeg ze toen ze klaar was.
'Over dat bellen?'
Eline knikte. 'Ik hoop niet dat mijn moeder me daar
iets over vraagt. Ik kan niet zo goed liegen.' Ze veegde
een kruimeltje van haar vingers. 'Zou mama erg
verdrietig zijn?'
Ze luisterden naar de geluiden beneden in huis.
'Het is stil', zei Ellen.
'We moeten toch even gaan kijken', zei Eline. 'Het is
wel mijn schuld als ze verdrietig is.' Aarzelend liep
ze de trap af, met Ellen vlak achter zich. Het was
schemerig in de kamer. Mama zat heel alleen aan de
feestelijk gedekte tafel met de lege, schone borden.
Het keukenraam stond open, de afzuigkap loeide,
maar het rook nog steeds erg aangebrand.
'Heb je al iets gegeten?' vroeg Eline. Ze knipte een
schemerlampje aan en zag de uitgelopen mascara
op mama's wangen. Toen viel haar oog op het
telefoontje in mama's hand.
'Stefan had toch gelijk', zei mama. 'Hij heeft gebeld,
maar ik heb het niet gehoord. Kijk maar: een gemiste
oproep.' Ze zei het meer tegen zichzelf dan tegen haar

dochter, alsof ze geen antwoord verwachtte.

Eline liep naar de keuken. Die zag eruit alsof er een tornado voorbij was gekomen. Er was geen leeg plekje meer te vinden. Op het fornuis stond een koekenpan met zwartgeblakerde bolletjes. Dat waren vast aardappeltjes geweest, dacht Eline. Ze trok de koelkast open om ijsthee in te schenken en zag twee bordjes staan. Ze waren mooi opgemaakt met zalm, een schijfje citroen en wat cocktailsaus. Het zag er heerlijk uit. Ze pakte een bord en zette het op tafel.

'Eet maar lekker op', zei ze tegen haar moeder. 'Wil jij ijsthee, Ellen?'

'Ik loop wel mee', antwoordde Ellen. In de keuken keek ze verbaasd om zich heen. 'Wat een slagveld', mompelde ze zacht. 'Komt dit ooit nog goed?'

'Ja, hoor, over een halfuur is alles opgeruimd', antwoordde Eline.

'Over een kwartiertje', zei Ellen. 'Ik help mee.'

'Dat is het schuldgevoel', fluisterde Eline.

'Ik denk het ook', gaf Ellen toe.

Ze vulden de vaatwasser, draaiden dekseltjes op potjes, gooiden citroenschillen weg, veegden klodders cocktailsaus van de tegels en hakten de verkoolde aardappeltjes uit de pan.

'Klaar', zei Eline tevreden. 'Tijd voor ijsthee.' Ze schonk twee glazen vol. Toen ze zich omdraaide stond haar moeder op de drempel, het lege bordje in haar hand.

Met grote ogen keek ze naar de opgeruimde keuken. Er kwam een zucht over haar lippen. 'Jullie zijn schatten. Dank je wel. Wacht, ik heb nog iets.

Hebben jullie zin in chocolademousse met slagroom?'
Twee hoofden begonnen enthousiast te knikken.
Even later zaten ze naast elkaar, elk met een coupe
chocolademousse. Tussen hen in stond een spuitbus
slagroom. Eline spoot een vorstelijke toef op haar
toetje, Ellen volgde haar voorbeeld.
'Wacht, nog niet gaan eten', waarschuwde Eline. Ze
zette de coupes dicht bij elkaar en maakte een foto.
'Die sturen we naar Kato, dan kan ze op afstand mee
genieten.'
Kato belde meteen. 'Is er nog wat over?'
'Misschien, als je binnen dertig seconden hier kunt
zijn', plaagde Eline.
'Dertig seconden?' protesteerde Kato. 'We zijn pas
over een halfuur klaar met babysitten.'
'Gaat het goed?' vroeg Eline.
'We hoeven helemaal niets te doen, alleen maar thee
drinken en koekjes eten', vertelde Kato. 'De baby
slaapt als een marmotje.'
'Geen rare bultjes of rode vlekjes?' vroeg Eline.
'Nee, ik heb ook altijd pech', klaagde Kato. 'Een paar
dagen niet naar school zit er voor mij niet in. Maar
eh... bij jullie is alles ook goed afgelopen, las ik?'
'Gelukkig wel', knikte Eline. 'Nou, Kaat, laat ook nog
een koekje voor Emma over. Ik zie je morgen.'
Zwijgend smulden ze van de onverwachte verrassing.
Eline likte haar lepel af.
'Toen ik klein was mocht ik altijd mijn kommetje
schoon likken', zei Ellen.
Eline lachte. 'Ja, en nu je groot bent mag dat opeens
niet meer.'

Haar moeder kwam even naast haar staan. 'Zie ik er erg uit?'

Eline keek naar de vegen mascara. 'Het valt wel mee,' zei ze troostend.

'Niet dus, ik zie het aan je gezicht', stelde mama vast. Ze ging naar boven en kwam opgefrist terug.

'Je kijkt zo schuldig', zei ze tegen Eline. 'Dat hoeft niet, hoor. Jullie zijn schatten, maar ik... Ik lijk wel gek, om me zo uit te sloven voor Stefan. Hij is eigenlijk maar een saaie brombeer, zo duf. Weet je wat ik denk? Dat hij gewoon iemand zocht om voor hem te zorgen. Nou, mij niet gezien. Daar zoekt hij maar iemand anders voor.' Ze boog zich naar voren en keek Eline en Ellen aan. 'Weet je wie ik echt leuk vind?'

Eline hield haar adem in.

'Luc,' ging haar moeder verder, 'die ziet er ook veel leuker uit. Maar ik weet niet of hij mij wel ziet zitten. Misschien kan ik hem eens vragen...'

Eline keek naar Ellen en rolde met haar ogen. Haar moeder zag het niet. Haar gedachten waren zeker al bij Luc.

8

Vrijdagavond, precies om zes uur, stopte de witte
sportwagen van papa voor de deur.
'Ik ben weg', riep Eline tegen haar moeder, die boven
rondstommelde. Ze kreeg geen antwoord. Mama
vond het maar niets dat ze met papa uit eten ging.
Met de deurknop in de hand stond Eline heel even
stil. Ze hoorde het geluid van de föhn. Daarom gaf
mama geen antwoord, ze kon niets horen met die
warme wind om haar oren. Eline huppelde de treden
op. Mama's slaapkamerdeur stond open. Aan de kast
hing het zwart satijnen jurkje al te wachten.
'Ik ben weg', riep Eline. 'Papa is er.'
Mama's mondhoeken gingen weer spontaan hangen
bij het horen van het woord papa.
Eline zuchtte. Ze mocht toch zeker wel met
haar eigen vader afspreken? Binnenin klonk een
waarschuwend stemmetje: 'Rustig blijven en
vriendelijk zijn. Vooral geen ruzie maken.'
Eline aarzelde even bij de deur. 'Ga je uit?'
Nu zette mama eindelijk dat waaiapparaat uit. 'Ik ga
uit eten, met Luc.'

'Nou, smakelijk eten dan.' Eline draaide zich om en rolde met haar ogen. Uit eten met Luc? Werd hij de opvolger van Beertje? Het zou toch niet waar zijn? Het enige dat ze doen kon was hopen dat Luc leuker was. Maar om eerlijk te zijn: ook op Luc zat ze niet te wachten. Trouwens, papa wachtte. Ze keek snel nog even naar zichzelf in de spiegel. Ze zag er leuk uit in de kleren die ze vorige keer samen met papa had gekocht. De zeegroene broek was perfect van model. Het shirt had alle kleuren groen en blauw door elkaar, het leek wel een aquarel. Stoffen ontwerpen was ook een mooi beroep, dacht ze in een flits. Je tekende wat je leuk vond en iemand zorgde dat jouw ontwerp op stof werd gedrukt.

Papa was al bijna aan de voordeur. Ze vloog hem om de hals en gaf hem een dikke smakkerd. 'Ha die papsie! Wat ben je bruin, het was wel erg mooi weer in Barcelona.'

'Te mooi', lachte papa. 'Maar wat zie jij er leuk uit, hebben we dat vorige keer niet samen uitgezocht?' Eline knikte en vouwde zich bijna dubbel om in het lage, sportieve karretje te stappen. Ze voelde zich de koning te rijk toen ze naast papa de straat uitreed. Snel keek ze nog even over haar schouder. Zou mama zwaaien? Nee, maar er bewoog wel een gordijn boven. Ze draaide zich weer om. 'Wat gezellig, zo samen uit eten. Waar gaan we heen?'

'Dat ligt eraan', zei papa. 'Waar heb je zin in? Vlees of vis?'

Eline dacht na. 'Dat maakt me eigenlijk helemaal niets uit. Kies jij maar.'

'Help, ik moet elke dag al kiezen wat ik eet', zei papa.
'Ik dacht: vandaag kiest Lienemieneke het menu.'
'Oké', lachte Eline. 'Dan eten we... iets met vis vooraf
en vlees als hoofdgerecht. Goed? Of vind je dat te
veel?'
Papa schudde zijn hoofd. 'Dan weet ik wel een lekker
adresje.' Hij parkeerde de auto op het marktplein
en ze stapten uit. Iets verderop hing een groepje
jongens afwachtend op hun brommers. Eline zag hoe
ze opveerden. Ze kijken naar me, schoot het door
haar hoofd. Ze gooide haar schouders naar achter en
stak haar neus in de lucht, zeer vereerd met zoveel
aandacht.
De jongens bromden stapvoets haar kant uit.
Spannend, vond Eline. Toen tuften ze langs haar
heen en stopten bij papa's sportwagen.
'Gaaf bakje', riep er een.
'Die gaat minstens 230', wist de ander.
Ze gluurden door de raampjes naar binnen.
Beduusd bleef Eline staan. Ze hadden haar niet eens
gezien, het ging alleen maar om de auto. Die was
natuurlijk ook mooi.
'Kom je?' vroeg papa.
Ze liepen een klein restaurantje binnen. De voorkant
was zo smal dat het Eline nooit opgevallen was. *In de
gulle kookpot* stond er op het raam. Binnen werd de
muziek gedempt door dikke, zachte vloerbedekking.
Ze kozen een tafeltje bij het raam. Gelukkig, dacht
Eline. Misschien komt er wel een klasgenootje of een
leraar voorbij. Als ze naar binnen kijken zien ze mij
hier met mijn vader. Dat zou leuk zijn.

Maar al gauw vergat ze om te kijken of er bekenden langskwamen en zat ze gezellig met papa te praten. Eerst over de menukaart.

'En? Weet je het al?' vroeg papa.

Eline aarzelde. 'Er staat zoveel lekkers op.' Gerookte zalm stond er ook op, had ze gezien. Dat at ze thuis bijna nooit.

'Ik denk dat ik de grote garnalen in pikante saus neem,' zei papa.

'Ik ook', knikte Eline.

'En daarna...' ging papa verder. 'Weet jij het al?'

Eline keek nog eens naar de kaart. Varkenshaas in roomsaus leek haar wel wat. 'Er staat zoveel lekkers op, wat neem jij?'

'Weet je het echt niet?' vroeg papa. 'Ik heb wel zin in een tournedos Rossini, met een lekkere salade en friet.'

'Dat klinkt goed,' zei Eline, 'dat neem ik ook.'

Papa bestelde er meteen wat te drinken bij. De kelner schonk hun bronwater in grote, kristallen glazen die fonkelden in het kaarslicht. Eline zat te genieten. Natuurlijk was het jammer dat ze papa niet zo vaak zag, maar als hij er was dan was het altijd feest.

Opeens dacht ze aan Skype. 'Heb je mijn mailtje al gelezen?'

Papa knikte. 'Ik heb het gelezen. Dit weekend nog zal ik Skype op mijn laptop zetten.'

'Fijn,' knikte Eline, 'dan kunnen we lekker samen kletsen.'

De kelner bracht het voorgerecht. De grote garnalen lagen pruttelend in de olie.

'Mmm...' snoof Eline, 'dat ruikt lekker.' Ze doopte
een stukje stokbrood in de saus om te proeven.
Zwijgend aten ze hun bord leeg.
'Moet je nog vaak naar het buitenland?' vroeg Eline.
'De komende weken nog wel', zei papa. Toen boog
hij zich dichter naar Eline. 'Maar ik heb nieuws, goed
nieuws en jij bent de eerste die het hoort. Mijn baas
gaat met pensioen en ik neem zijn werk over.'
Vragend keek Eline naar papa.
'Dan vlieg ik niet langer de wereld rond, maar dan
stuur ik andere mensen op reis. Dus binnenkort heb
ik veel meer tijd.'
'Dan ben je voortaan thuis!' riep Eline. 'Dat is pas
goed nieuws. Dan kan ik in de weekends naar je toe.'
Papa knikte. 'En niet alleen in de weekends, dan kun
je komen zo vaak je wilt en zo lang je wilt.'
'Kan ik dan echt altijd komen? Super!' Eline straalde.
Ze hield haar fonkelende glas omhoog en zei: 'Proost!
Op het goede nieuws.'
'Op onze toekomst', zei papa. 'Maar vertel eens, hoe
is het met je vriendinnenclub? Hebben jullie nog
avonturen beleefd?'
Eline vertelde over het babysitten, het spaarvarken en
het virus.
'Een virus?' schrok papa.
De kelner bracht het hoofdgerecht.
'Een kinderziekte', fluisterde Eline. De kelner
hoefde het niet te horen. Die zag alleen een vader
met zijn grote dochter, die al veel te oud was voor
kinderziektes. 'Daarom ging het slaapfeestje bij Ellen
niet door, maar morgen wel, hoor.'

'Dat wordt vast weer een slapeloze nacht', grinnikte papa.

'Een beetje wel', lachte Eline. 'Zou dat bij jou ook kunnen?'

'Een slaapfeestje? Als je maar zachtjes doet', bromde papa. 'Onzin', ging hij meteen verder. 'Natuurlijk kan dat, dan zie ik je hele clubje ook weer eens. Ik haal jullie wel op, als je wilt. Maar je kunt ook met de trein komen.'

Eline zag het al helemaal voor zich, met zijn allen in de trein voor een slaapfeestje bij papa. Haar avond kon niet meer stuk.

Toen ze de straat inreden zag Eline meteen dat er licht brandde. Mama was al thuis.

'Ga je nog even mee naar binnen?' vroeg Eline.

Papa keek naar de verlichte ramen. 'Denk je dat mama dat ook leuk vindt?'

Eline zuchtte en staarde naar haar handen. Nee, natuurlijk zou mama dat niet leuk vinden. Maar het ging toevallig wel om haar eigen vader. 'Laat maar', zei Eline zacht. Misschien had mama die Luc wel mee naar huis genomen, dat was ook niet leuk voor papa.

'Kom op, niet zo somber.' Papa tilde met zijn vinger haar kin omhoog. 'We hebben samen toch een leuke avond gehad? En straks zien we elkaar veel vaker.'

Eline knikte. 'Daar heb ik nu al zin in.' Ze gaf papa een dikke kus. 'Bedankt voor alles. En tot gauw.'

'Dag Lienemieneke, tot heel gauw. En veel plezier op het slaapfeestje.'

Ze keek de auto na tot de rode achterlichten om de

hoek verdwenen. Papa moest nu nog een dik uur rijden voor hij thuis was. Dat had hij toch maar allemaal voor haar over.

Mama zat alleen op de bank en keek televisie.

'Heb je lekker gegeten?' vroeg Eline.

'Ja hoor. En jij?'

'Heerlijk', lachte Eline.

Mama pakte de afstandsbediening. 'Julie hebben het wel laat gemaakt. Zei papa nog wat?'

Eline knikte. 'We hebben de hele avond zitten kletsen.'

Mama's mondhoeken gingen hangen. 'Zo, had papa nog nieuws te melden?'

Eline werd weer vrolijk toen ze eraan dacht. 'Ja, binnenkort krijgt papa wat meer tijd.'

Mama deed alsof ze lachte. 'Meer tijd? Laat me niet lachen. Dat smoesje ken ik.'

Eline protesteerde. 'Maar...'

Mama zette het geluid zachter. 'Zei hij nog iets over mij?'

Eline voelde zich ongemakkelijk. 'Eh... ik weet niet, we hebben het over zoveel dingen gehad.'

Mama maakte een zwaaibeweging met haar hoofd. 'Woont hij nog steeds daarginds?'

Eline knikte. 'Ja, papa is niet verhuisd. Anders had hij dat wel laten weten.'

'Dus hij woont nog steeds daar.' Mama schoof naar het puntje van de bank. 'En... heeft hij al een vriendin?'

Eline kreeg het er warm van, ze voelde het bloed naar haar wangen stijgen. 'Mam...'

'Ja dus, ik zie het aan je gezicht,' riep mama. 'Je krijgt niet voor niks zo'n vuurrood hoofd.'

'Ik krijg het gewoon warm,' zei Eline.

'Onzin.' Mama schudde driftig haar hoofd. 'Het is hier helemaal niet zo warm. Maar ik weet wel hoe het komt: je wilt mij gewoon de waarheid niet vertellen.'

'Toe nou, mam, dat is echt niet zo.'

Mama kwam overeind, ze zette haar handen in haar zij. 'Oh nee?'

Eline zette een stapje achteruit. 'Ik ga naar bed.'

Ze glipte weg. Met een vaartje stoof ze naar haar kamer. Beneden in de gang klonk de stem van haar moeder. 'Deel jij maar fijn je geheimpjes met papa.'

Languit liet Eline zich op haar bed vallen. Met haar vuisten roffelde ze op haar kussen. Haar tranen maakten er grote, natte kringen op. Het was gemeen van mama. Vorige keer deed ze ook al zo moeilijk. Eline dacht na. Het was steeds hetzelfde liedje. Telkens als ze bij papa was geweest kwam mama met haar lastige vragen.

Op haar tenen sloop ze naar de badkamer en gooide een plens water in haar gezicht. Stilletjes kleedde ze zich uit en trok haar slaapshirt aan. Ze rilde even, opeens had ze het niet warm meer. Ze kroop onder haar dekbed en dacht aan papa. Ze hadden zo gezellig zitten kletsen. En nu... nu lag ze hier alleen met prikkende ogen van de tranen. En papa... Ze keek op haar wekker. Papa was nu dat hele stuk terug aan het rijden, ook helemaal alleen.

Eline draaide zich op haar rug en sloot haar ogen. In gedachten zag ze papa rijden, twee witte koplampen

in de donkere nacht. Ze slikte. Was ze maar mee-
gegaan, ze had niets liever gewild. Maar het kon
niet, dat snapte ze zelf ook wel. Papa was te vaak op
reis. Maar dat ging veranderen, over een paar weken
al, had papa gezegd. Nog maar een paar weken...
Jammer dat ze niet gevraagd had hoe lang het nu
precies duurde. Allerlei gedachten tuimelden door
haar hoofd. Ze kon er echt niet van slapen. Zachtjes
knipte ze haar nachtlampje aan. Ze staarde naar de
grote poster van *my special boy.*
'Tegen jou kan ik alles vertellen', fluisterde ze. 'Jij
begrijpt me. Het is alleen jammer dat je niets terug
zegt.'
Ze glipte uit bed en haalde het vriendinnendagboek
onder de stapel truien vandaan. In bed begon ze te
schrijven.

Brief aan papa
Afzender: je grote dochter

Lieve papa,

De trap kraakte, mama kwam naar boven. Snel knipte
Eline haar lampje uit. Met dagboek en pen kroop ze
diep weg onder haar dekbed. Alleen haar hoofd stak
er nog bovenuit, anders hoorde ze niets. Ze hield haar
adem in en luisterde naar het piepen van mama's
kamerdeur. Nu klonk het weer. De lamp in de
badkamer werd aangeklikt. En niet veel later weer uit.
Opnieuw het piepje. Toen was het stil. Eline wachtte.

Het bleef stil. Zachtjes knipte ze haar lampje weer aan en keek op haar wekker. Papa zou nu misschien wel thuis zijn. Ze pakte haar telefoontje en stuurde papa een berichtje: *ben je weer veilig thuis?*
Het antwoord volgde meteen: *ik kom net binnen.*
Welterusten.
Nog bedankt en slaap lekker liet ze weten.
Ze pakte haar dagboek en schreef verder.

Ik wil je bedanken voor de heerlijke avond. Ik vond het top. Maar weet je wat ik helemaal super vind? Dat je binnenkort niet meer op reis hoeft en voortaan altijd thuis bent.
Daarom wilde ik iets vragen. Mag ik dan bij jou komen wonen? Ik wilde jou liever niet lastigvallen met mijn problemen, maar ik houd het hier echt niet lang meer vol.
Mag het, please?

Dikke kus,
Eline

P.S.
Als het niet mag ben ik echt niet boos op je.

Eline schoof het vriendinnendagboek onder haar kussen, knipte haar lampje uit en kroop tevreden onder de wol.

Eline had haar tas ingepakt voor het slaapfeestje.
Oeps, ze was het vriendinnendagboek vergeten.
Automatisch liep ze naar de kast. Halverwege draaide
ze zich om, ze was even vergeten dat het dagboek
nog onder haar kussen lag. Ze sloeg het boek open
en las de brief aan papa. Ze zuchtte. Gisteravond had
het allemaal zo makkelijk geleken. Ze wilde bij papa
wonen. Maar dan moest ze dus ook daar naar school,
naar een nieuwe, vreemde klas. En dat was nog niet
eens het ergste. Ze moest haar beste vriendinnen
achterlaten en ze kon hen eigenlijk geen dag missen,
laat staan een week, een maand of nog langer.
Ze kon natuurlijk aan papa vragen of hij dichterbij
kwam wonen als hij niet meer op reis hoefde. Dat
was misschien een beter idee. Ze schudde haar
hoofd. Dan moest papa zijn familie achterlaten. Dat
was niet makkelijk. Familie had je heel je leven, de
school duurde niet zo lang. En vriendinnen? Die had
je toch voor altijd?
Ze slikte. Toen scheurde ze het blad eruit. Niemand
hoefde dit te weten. Misschien later... maar nu niet.

Ze stopte het dagboek in haar tas en scheurde de brief in kleine snippers, die als confetti in de prullenbak dwarrelden.

'Kom, Lien', sprak ze zichzelf streng toe. 'Op naar het feest.'

Beneden zat mama aan de telefoon. 'Ja, schat, dat is goed.' Ze keek naar Eline met haar grote tas en wenkte haar. 'Ja, natuurlijk wil ik dat', zei ze in de telefoon. Haar stem klonk anders, veel liever dan normaal.

Waarom praat ze nooit zo tegen mij? dacht Eline. Ze wiebelde van haar ene been op haar andere, met haar ogen op de klok gericht.

'Ja, hoor', knikte mama. 'Lief dat je daaraan hebt gedacht.' Ze trok haar benen naast zich op de bank en luisterde.

Eline zuchtte. Zou ze zeggen dat Yelien op haar wachtte? Dan kon ze weg. Ze zette een stap naar de bank. Mama merkte het niet eens. Ze luisterde naar iemand die nog lang niet leek uitgepraat.

'Dat is goed', zei ze na lang zwijgen. 'Ik ben om half-acht bij jou. Kusje.'

Eindelijk, dacht Eline.

'Ik ga vanavond naar Luc', zei mama.

'En ik naar het slaapfeestje bij Ellen', zei Eline. 'Ik ben al laat. Tot morgen.'

Yelien zat geduldig op haar fiets te wachten. Samen reden ze naar Ellen. Kato en Emma waren er al.

'Eindelijk! Daar zijn jullie', riep Kato.

Eline keek op haar horloge. 'We zijn heus wel op tijd, hoor. En trouwens, daar moet jij nodig iets van

zeggen. Het is een wonder dat jij ook eens een keer
op tijd bent.' Het klonk kattiger dan ze bedoelde.
'Wat is er met jou aan de hand?' vroeg Yelien.
'Met mij?' riep Eline verontwaardigd. 'Kato maakte
een stomme opmerking. Waarom zou er met mij iets
zijn?'
Kato sprong er snel tussenin. 'Eline heeft gelijk. Ik
was zo blij dat ik vandaag niet de laatste was en dat
moest ik even kwijt. Sorry. Ben je nog boos?'
Eline schudde haar hoofd. 'Natuurlijk niet.' Ze slaakte
een diepe zucht.
Yelien legde een arm om haar schouder. 'Er is wel
iets. Of wil je het niet zeggen?'
'Ach, mijn moeder...' begon Eline driftig. 'Ze zat
met Luc te bellen en al die tijd stond ik te wachten.
Daarom was ik iets later.'
'Luc?' riepen ze door elkaar. 'Moeten we helpen?'
Eline lachte. 'Nee, hoor. Ik heb hem nog nooit gezien
en van mij mag dat zo blijven. En verder wil ik het
niet meer over hem hebben. Het is Pyjama Party en
daar heb ik heel veel zin in.'
'Gelukkig', zei Ellen. Ze rammelde met hun roze
spaarvarken. De munten rinkelden en de briefjes
ritselden. 'Het gaat goed met ons varkentje. Heeft
iemand al een idee wat we kunnen doen met ons
zelfverdiende geld?'
'Iets feestelijks!' Kato genoot nu al. 'Eerst gaan
we toosten met nepchampagne en daarna...'
Hulp zoekend keek ze om zich heen.
'Ik mag dinsdag weer babysitten bij de buren', zei
Emma. 'Je gaat toch mee, Kato?'

Kato knikte. 'Zeker weten, we hebben de hele avond gezellig zitten kletsen en koekjes gegeten en daar kregen we nog geld voor ook.'

'Ja, het was leuk', zei Emma. 'En als er echt iets aan de hand is met de baby, kan ik altijd mijn moeder om raad vragen.'

'We moeten ook altijd met zijn tweeën gaan', vond Ellen. 'En we moeten altijd iemand kunnen bellen die er binnen vijf minuten is.'

'Ik heb nog geen oppasadressen gevonden', zei Eline opeens. Ze voelde zich een beetje schuldig.

'Dat geeft toch niets', zei Emma 'We hebben nu een paar vaste adressen, daar kun jij toch ook heen?'

'Gelukkig', zei Eline. 'Bij ons in de buurt wonen vooral oudere mensen. Maar... gebeurt het vaak dat je ziek wordt van babysitten?'

'Bijna nooit,' zei Ellen, 'alleen als je zelf die kinderziekte niet hebt gehad toen je klein was. Dat zei mijn vader, dus je hoeft niet ongerust te zijn.' Ze keek haar vriendinnen aan. 'Ik wil jullie iets laten zien, iets speciaals.'

'Oh ja!' zei Eline. 'Je geheime plannetje, ik ben heel benieuwd. Laat eens zien.'

Ellen pakte een doosje uit haar kast. 'Kijk, dit is het.'

'Een doosje', mompelde Kato. Ze klonk teleurgesteld.

'Ik heb een spel bedacht', verklapte Ellen. 'Het is speciaal voor ons, kijk maar.' Ze liet de bovenkant van het doosje zien. *For Girls Only,* stond erop.

Kato klonk opeens veel enthousiaster. 'Leuk! Ik ben gek op spelletjes.'

'Er is alleen een klein probleem', zei Ellen met een

zachte zucht. 'Het spel is niet af. Ik had zoveel ideetjes, maar te weinig tijd. Als ik een paar dagen langer ziek was geweest...'

'Wat zit er eigenlijk in dat doosje?' vroeg Emma. 'Ik begin wel erg nieuwsgierig te worden.'

'Anders ik wel', knikte Kato.

'Het is maar een oud doosje,' begon Ellen, 'ik heb er alleen een leuk papiertje omgeplakt.'

'Maak nu open', drong Yelien aan.

Reikhalzend keken ze in het doosje. Er zaten kaartjes in met verschillende kleuren.

'Ik heb onze lievelingskleuren gekozen', zei Ellen. 'Kijk, geel is mijn kleur, Kaatje heeft oranje en Eline heeft blauwgroen.'

'Turquoise', vond Eline.

'Dat klinkt mooier', zei Ellen. 'Voor Emma heb ik deze kleur gekozen: geen roze, maar lichtpaars.'

'Violet misschien?' vroeg Eline.

Ellen trok haar schouders op. 'Is dat niet donkerpaars?'

'Dat weet ik niet, maar violet lijkt romantischer.'

Ellen knikte en ging verder. 'Voor Yelien heb ik...'

'Ik zie het: groen,' knikte Yelien, 'een mooie kleur groen.'

Kato plofte bijna van ongeduld. 'Wat gaan we met die kaartjes doen?'

Ellen nam een slokje. 'Ik heb een stel vragen bedacht, nog lang niet genoeg, maar het begin is er. Alle vragen over jezelf staan op gele kaartjes, alles over je lijf en zo...'

'Body & Beauty', bedacht Eline.

'Mooi, alles over Body & Beauty staat op de oranje kaartjes', vervolgde Ellen. 'Op de turquoise kaartjes vind je van alles over BFF en op de lichtpaarse alles over jongens en liefde.'

'Wauw! Wat goed van je', zei Eline.

'Je vergeet groen', klaagde Yelien.

Ellen nam nog snel een slokje. 'Groen betekent: de rest van de wereld. Je ouders, school, vakantie...'

'Wat een fantastisch idee van je', zei Yelien.

'Ons eigen spel', zei Emma. 'Jeetje, dat heeft niemand.'

'Het is nog lang niet klaar', zuchtte Ellen.

'Kunnen we het wel spelen?' vroeg Kato.

'Ja.' Ellen schudde de gekleurde kaartjes door elkaar en maakte er twee rechte stapels van. 'Wie wil er beginnen?'

'Begin jij maar, jij hebt dit spel bedacht', zei Yelien.

Ellen aarzelde. Bij het ene stapeltje lag een turquoise kaart boven, bij het andere een lichtpaarse. BFF of Boys & Love? Ze koos de laatste. Hardop las ze de tekst op het kaartje voor: 'Pas als ik een vriendje heb ben ik leuk.' Ze keek haar vriendinnen aan.

'Wat nu?' vroeg Kato.

'Nu moet ik zeggen wat ik hiervan vind. Als jullie het met mij eens zijn, mag ik het kaartje houden', legde Ellen uit. 'Wie het eerst van elke kleur een kaartje heeft, is de winnaar.'

Eline dacht aan haar moeder. Als mama een vriend had deed ze leuker, maar alleen tegen die vriend, niet tegen haar. Ze was dus niet echt leuker. Eline luisterde naar wat Ellen ervan vond.

'Eigenlijk moet het geen verschil maken of je wel of geen vriendje hebt', begon Ellen.

'Maar het is natuurlijk leuker met een vriendje dan zonder', dacht Emma hardop.

'Vast wel', gaf Ellen toe. 'Maar daar gaat het niet om. Belangrijk is dat ik lekker in mijn vel zit, met vriendje of zonder. Het mag niet zo zijn dat ik pas gelukkig ben als ik verkering heb, dat ik dan pas leuk word.'

'Je hebt gelijk', knikte Yelien.

'Als je met een ongelukkig gezicht rondloopt, dan lopen de jongens met een grote boog om je heen', bedacht Kato. 'Daar hebben ze geen zin in.'

'Dan heb ik pech', zuchtte Eline.

Opeens keek iedereen haar aan.

'Je ziet er hartstikke leuk uit', zei Emma.

'Maar je voelt je niet super', raadde Yelien. Die merkte toch ook altijd alles.

'Het valt wel mee', zei Eline. En verder wilde ze er geen woord over kwijt.

Gelukkig voor haar begon Kato over het spel. 'Ik vind dat Ellen dat kaartje heeft verdiend. Mag ik nu? Ik zit naast haar, dan gaan we mooi in een kringetje.' Ze stak haar hand uit, aarzelde even bij het turquoise kaartje, maar pakte toen toch het groene dat nu bovenop de stapel lag. 'Ik neem *De rest van de wereld*.' Hardop las ze haar kaartje voor: 'Mijn ouders doen alsof ik nog een baby ben. Wat moet ik doen?' Ze keek haar vriendinnen aan. 'Weet je wat het grappige is aan dit kaartje? Het is echt waar, mijn ouders denken echt dat ik nog een baby ben. Nou ja, niet altijd... Ik mag de vaatwasser vullen en boodschappen doen... Dat mogen baby's niet, maar verder mag ik echt niks.'

De vriendinnen knikten instemmend.

'Ik zeg niet alles tegen ze', zei Yelien. 'Ik ben heus wel oud genoeg om te weten wat goed voor me is.'

'We weten het zelfs beter', viel Ellen haar bij. 'Ze zeggen altijd dat ik moet gaan slapen als ik nog helemaal niet moe ben.'

'Of dat je moet eten terwijl je helemaal geen honger hebt', vond Emma.

'Ja', zei Eline. 'Of ze zeggen dat je niet zo lang mag bellen, terwijl ze zelf uren aan de telefoon hangen.'

'Stop!' riep Kato. 'Het is mijn kaartje. En dat krijg ik niet als jullie antwoord geven.'

Ze waren meteen stil. Vol verwachting keken ze naar Kato.

'Weet je waarom ouders doen alsof je een baby bent?' Met een geheimzinnig gezicht keek Kato haar vriendinnen aan. 'Ze denken nog steeds dat we zelf niets kunnen of weten. En daarom is het belangrijk dat je met hen praat. Dan weten ze dat je echt niet dom bent en maken ze zich minder zorgen. En... hoe minder zorgen, hoe meer je mag!'

'Dat is nog eens een slim antwoord', zei Ellen verbaasd. 'Dat had ik zelf niet kunnen verzinnen toen ik de vraag bedacht.'

Kato knikte tevreden. 'Ziezo, dat kaartje is binnen. Nu ben jij.' Ze stootte Emma aan.

'Ik neem BFF,' zei Emma, 'dat zal toch niet zo'n moeilijke vraag zijn?' Ze draaide het turquoise kaartje om en las: 'Je hartsvriendin heeft je geheim doorverteld, terwijl ze beloofde dat niet te doen. Wat doe jij?'

Emma keek op van haar kaartje. 'Deze vraag is makkelijk. Als iemand dat met mij zou doen, dan wil ik echt niets meer met haar te maken hebben.'

'Zij is wel je hartsvriendin', zei Yelien.

'Maar dan niet meer', vond Emma. 'Bij je beste vriendin moet je geheim veilig zijn, je moet alles tegen elkaar kunnen zeggen. Daar zijn vriendinnen voor, of niet soms?'

Eline keek haar aan. 'Maar als het nu eens een heel bijzonder geheim is?'

Emma begreep het niet. 'Wat bedoel je?'

'Bijvoorbeeld...' Het leek alsof Eline diep moest nadenken. 'Als zij je vertelt dat ze... van huis weg wil lopen? Wat doe je dan? Vind je dat je dan haar moeder moet waarschuwen?'

Emma schudde haar hoofd. 'Een geheim mag je nooit verder vertellen. Je kunt natuurlijk wel met die vriendin praten om haar te helpen, zodat ze van gedachten verandert.'

'Emmetje, je bent geweldig', riep Ellen. 'Je hebt je kaart dubbel en dwars verdiend. Nu mag jij, Yelien.'

Yelien pakte een oranje kaartje: Body & Beauty. 'Het wordt tijd voor een behaatje, maar je durft er niet met je moeder over te praten', las ze voor. Ze lachte.

'Ja, lach maar', mopperde Kato. 'Jij hebt al lang een behaatje, maar ik heb daar echt geen zin in.'

'Durf je er niet met je moeder over te praten?' vroeg Yelien.

'Dat durf ik best', stoof Kato op. 'Maar het lijkt me

allemaal zo ingewikkeld. Behaatjes, menstruatie... dat is niks voor mij.'

'Ach, arme Kaatje, het valt wel mee', troostte Yelien.

'Ja, dat zeg jij!' protesteerde Kato.

Yelien knikte. 'En ik kan het weten. Dus als je ergens mee zit kun je gerust bij me komen. Maar...' Ze keek nog eens naar haar kaartje. 'Je kunt dat soort dingen ook met je moeder bespreken, zij heeft het allemaal zelf meegemaakt. Ze begrijpt waar je over praat.'

'Ja, dat is wel zo', gaf Kato toe. Ze was even stil, zoekend naar woorden. 'Maar als je met je moeder je eerste behaatje gaat kopen, dat lijkt me zo... ik weet ook niet hoe ik dat zeggen moet. Zo plechtig, zo officieel: dit is een mijlpaal in je leven. Snap je? Dat maakt het nog erger. Doe maar gewoon, vind ik.'

Yelien lachte. 'Dat is weer typisch iets voor jou, Kaatje. Toen ik met mijn moeder mijn eerste behaatje had gekocht, hebben we samen na afloop ergens taart gegeten.'

'Dat bedoel ik nou,' klaagde Kato, 'alsof er iets te vieren valt. Bah! Daar heb ik geen zin in.'

'Maar als het zo ver is, zullen we dan met zijn allen met jou meegaan naar de winkel?' bood Yelien aan.

Kato knikte aarzelend. 'Dan lijkt het misschien minder erg.'

'En wil je dan daarna ook geen taart?' vroeg Yelien serieus.

'Ik lust altijd taart, dat weet je best', lachte Kato.

'Dat is dan afgesproken.' Yelien keek de kring rond. 'Ik heb dit kaartje zeker niet verdiend, omdat ik met Kato mee wil gaan?'

'Ik vond het wel goed wat je over je moeder zei. Dat kaartje is voor jou', besloot Ellen. 'Eline, jij bent.'
Eline kon kiezen: groen of geel. 'Geel is nog niet geweest', zei ze. Ze las het kaartje voor. 'Wat is jouw liefste wens?'
'Een wereldreis maken', riep Kato.
Eline schudde haar hoofd. 'Nee. Of, wacht eens, misschien wel, als ik samen met papa een wereldreis mocht maken... Dat zou ik wel willen. Maar dat is niet mijn liefste wens.'
'Wat is het dan?' vroeg Emma.
Eline staarde voor zich uit. 'Ik weet het wel en eigenlijk ook weer niet. Ik weet het nog niet zeker.'
'Wat is het dan?' drong Yelien aan.
'Dat is geheim', zei Eline. 'Niemand weet het nog. Zelfs ik weet het ook nog niet zeker.'
'Geheim? Dat klinkt spannend', vond Kato.
'Misschien ook niet', aarzelde Yelien. 'Als je in je eentje met een geheim rondloopt, kan dat best moeilijk zijn.'
'Nee hoor', zei Emma. 'Daar hadden we het net over, toen ik mijn kaart trok. Bij hartsvriendinnen zijn al je geheimen veilig.'
'Dat is zo', piekerde Eline. 'Maar het is misschien geen leuk geheim. Mijn liefste wens kan voor jullie helemaal niet leuk zijn.'
'Maar het is wel jouw liefste wens', protesteerde Yelien. 'En jij mag kiezen.'
'Ik weet niet of ik mag kiezen', zuchtte Eline. 'Ik weet ook niet of ik wel kan kiezen. Het is moeilijk...'
Iedereen werd stil, alleen Kato zuchtte hoorbaar.

Eline keek om zich heen. Ze zag haar vriendinnen zo stilletjes bij elkaar zitten. 'Jullie mogen het wel weten', besloot ze. 'Maar... het is een geheim en ik weet het nog niet heel zeker. Het is moeilijker dan ik dacht.'

'En toch is het je liefste wens?' vroeg Kato verbaasd. Eline knikte. 'Ik zou zo graag bij papa gaan wonen.' Opeens werd het oorverdovend stil. Dat duurde maar heel kort.

'Dan moeten wij je missen!' riep Kato.

'Jeetje, Lien, dan woon je ver weg', schrok Yelien.

'En je moet naar een vreemde school waar je helemaal niemand kent', zuchtte Emma.

'Een slaapfeestje zonder jou...' zei Ellen. 'Dat kan ik me niet voorstellen. Wat zullen we jou missen.'

Eline slikte. 'Maar ik mis papa ook.'

'Kan hij dan niet verhuizen?' bedacht Yelien. 'Dan kun je toch bij ons blijven.'

'Dat vraag ik echt niet.' Eline klonk opeens vastbesloten. 'Dan moet hij zijn hele familie missen.'

'Ik krijg er kippenvel van', zei Emma. 'Jij gaat ons missen of je vader gaat zijn familie missen, wat je ook kiest.'

Eline knikte.

'Heb je er al met je vader over gepraat?' vroeg Ellen. Eline schudde haar hoofd. 'Niet echt, we hebben het wel over logeren gehad. Ik mag bij papa ook slaapfeestjes geven.'

Daar leefde iedereen van op.

'En je moeder?' vroeg Yelien.

'Pfff, die heeft het druk met vriendjes en afspraakjes.

Ze is nu naar Luc.' Opeens kreeg Eline een idee.
'Misschien vindt ze het wel fijn als ik wegga, dan is
ze van me af. Maar ze zal het nooit goed vinden dat ik
naar papa ga. Ze heeft een hekel aan hem.'
Opnieuw werd het stil, tot Ellen vroeg: 'Wie wil er
nog wat drinken? Het is al laat en we hebben nog
bijna niets gehad.'
De glazen werden vol geschonken en iedereen dacht
na.
'Ik vind het wel rot dat je moeder zo doet,' zei Kato
zacht, 'maar toch hoop ik dat je bij ons blijft.'
Emma knikte. 'Ik hoop het ook. Verhuizen naar een
vreemde stad is best moeilijk. Ik was heel blij toen ik
jullie tegenkwam, want ik was helemaal alleen.'
'Ach, misschien wordt het wel niks met die Luc', zei
Ellen. 'Dan ben je mooi van hem af. En anders helpen
wij een handje.'
'Of misschien is Luc wel gewoon een aardige man,'
bedacht Yelien, 'zodat je moeder ook weer aardig gaat
doen.'
'Dat is het!' riep Kato. 'Dat zou de ideale oplossing
zijn. Dan gaat je moeder ook weer normaal doen
tegen je vader.'
'Dat zou al een stuk fijner zijn', knikte Eline.
Ellen stond op. 'Zal ik mijn spel opruimen? Dan
kruipen we lekker in bed met een zak chips en
kletsen we verder. Ik heb ook nog een nieuwe soap.'
Ze stopte de kaarten in het doosje.
'Het was wel een leuk spel', vond Yelien. 'Echt super
dat je zoiets hebt bedacht.'
Iedereen was het met haar eens.

'Ik heb ook nog een verrassing', zei Kato. 'Maar dat merken jullie zo meteen wel.'

Ze zochten hun spullen bij elkaar en rommelden wat op de badkamer. Ellen knipte het licht op haar kamer uit en stak waxinelichtjes aan. De vlammetjes maakten schaduwen op de muur. Emma was als eerste klaar en liet zich op haar matras vallen. Er klonk een knal. En meteen daarna een gil. Van Emma. Ellen knipte de grote lamp aan en iedereen kwam kijken.

'Wat is er gebeurd?' vroeg Ellen.

Langzaam krabbelde Emma op. Ze keek om. Op haar matras lag een uit elkaar geklapte zak. Alles was bezaaid met chocoladekoekkruimels.

Kato kreeg een rood hoofd. 'Sorry, Em, dat was mijn verrassing. Die heb ik in ieder bed verstopt: overheerlijke choco crispies. Maar gelukkig heb ik nog een extra zakje.'

'Ik plofte er bovenop', zuchtte Emma.

'Ah, dat was die plof', zei Ellen droog.

Emma giechelde, het werkte aanstekelijk en zo maar opeens hadden ze met zijn allen de slappe lach.

Toen ze uitgegiebeld waren haalde Ellen de soapserie tevoorschijn. Dicht bij elkaar leefden ze mee met de dvd en lagen zachtjes te praten, tot de een na de ander in slaap viel.

Eline bleef als laatste wakker. Ze kon niet slapen en dacht aan wat iedereen die avond had gezegd over haar liefste wens. Muisstil liep ze naar het dakraam. Het was een heldere nacht, de maan scheen als een klein, lichtgevend boogje. Ze keek ernaar. Overal waar

het donker was konden mensen nu diezelfde maan
zien, overal op de wereld. Dat leek haast een wonder.
Als papa nu uit zijn raam zou kijken, zag hij dezelfde
maan. Dat gaf haar een goed gevoel. Ze ademde de
nachtlucht in en bleef roerloos staan. Bij papa wonen
leek haar nog steeds het fijnste, maar misschien ook
wel het moeilijkste. Ver van haar vriendinnen, alleen
op een nieuwe school, zou ze zich heel eenzaam
voelen. Maar als het nu eens ging zoals Yelien dacht?
Dan deed mama weer normaal, ook tegen papa.
Dat was misschien wel de beste oplossing. Ze keek
nog één keer naar de maan, tilde haar hand op en
zwaaide. 'Dag pap, slaap lekker.'

10

Toen Eline de volgende dag thuiskwam zat Luc in
de kamer. Ze voelde meteen tegenzin, maar dacht
aan de woorden van Yelien. Gewoon aardig zijn, nam
Eline zich voor.
'Kijk, daar hebben we Elientje', zei mama met haar
zonnigste lach. 'Eline, dit is Luc.'
Eline stak een hand uit. 'Dag.' Ze wilde haar hand
meteen weer terugtrekken, maar Luc hield hem
stevig vast.
'Dag Eline. Wat leuk dat ik je eens ontmoet, je
moeder heeft al veel over je verteld.'
Hij heeft een mooie stem, dacht Eline. Ze keek
hem nu aan, voor het eerst. Hij zag er helemaal
niet onaardig uit. Oud natuurlijk, minstens even
oud als haar moeder. Maar hij zag er sportief uit
in zijn gestreepte overhemd met spijkerbroek. Zijn
korte, blonde haren staken licht af bij zijn gebruinde
gezicht. Twee helderblauwe ogen keken haar oprecht
aan.
Hij krijgt een zeven, dacht Eline. Voorlopig
tenminste.

'We zijn gisteravond uitgeweest', vertelde mama nog steeds zonnig. 'Maar toen we heel laat buitenkwamen was het zo mistig dat Luc echt niet meer naar huis kon rijden. Je kon geen hand voor ogen zien. Daarom moest hij wel blijven slapen.'

Mama krijgt een vette vier, dacht Eline. Ze trok een wenkbrauw op en zei: 'Mistig? In de straat van Ellen was totaal geen mist. Het was zo helder dat je de maan goed kon zien.'

'Mist kan plaatselijk zijn', wist mama.

Een drie, dacht Eline. 'Ik ga naar boven.'

Op haar kamer zette ze haar raam ver open. Mist, dacht ze. Wat een onzin. Ze pakte haar favoriete cd met gitaarmuziek en zette die zachtjes op. De muziek trok alle aandacht naar zich toe, zodat ze vergat aan haar moeder te denken. Ze pakte de gitaar die papa vorige keer had meegebracht uit Madrid en haar muziekboek. Aarzelend sloeg ze de eerste akkoorden aan. Het ging goed. Zachtjes speelde ze mee met de cd. Niet met de vliegensvlugge solo's natuurlijk, dat was te moeilijk. Zo goed als Yelien was ze nog lang niet. Een tijdlang ging ze helemaal op in de muziek. Tot het stil werd. De cd was afgelopen. Nu pas hoorde ze dat ze geroepen werd. Ze riep terug.

'Luc heeft ijs gehaald', riep mama. 'Kom je? Anders smelt het.'

Met lichte tegenzin ging Eline naar beneden, maar al gauw werd ze enthousiast. 'Mmm, ijs van Venezia! Dat is het lekkerste ijs van de hele wereld.'

'Ik ben het roerend met je eens', zei Luc. 'Als je dit een keer geproefd hebt, wil je nooit meer iets anders.'

Nee, die Luc viel niet tegen, zeker niet als ze hem vergeleek met Stefan. Hij kreeg een acht. Dat moesten haar vriendinnen weten.
Op haar kamer ging ze meteen online.

> **Lien zegt:**
   big news!!!
> **Kaatje zegt:**
   vertel gauw.
   ik ben gek op nieuwtjes.
> **Lien zegt:**
   yelien heeft gelijk.
> **Yel zegt:**
   natuurlijk heb ik gelijk.
   maar waar gaat het over?
> **Lien zegt:**
   over luc.
   hij valt best mee.
> **Em zegt:**
   o lientje, wat fijn voor je.
> **Kaatje zegt:**
   er valt een pak van mijn hart.
> **LL zegt:**
   dat kon ook haast niet anders.
   na stefan de verschrikkelijke.
> **Yel zegt:**
   wat d8 je, lien:
   krijgt hij een 6 of een 7?
> **Lien zegt:**
   ik geef hem een 8.

> **Yel zegt:**

zooooooooooo!!!!!

> **LL zegt:**

hij breekt alle records.

> **Kaatje zegt:**

hoe ziet hij eruit?

> **Lien zegt:**

leuk, sportief.

> **Em zegt:**

waarom krijgt hij meteen een 8?

> **Lien zegt:**

hij trakteerde op ijs.

hij lust alleen maar ijs van venezia.

> **Kaatje zegt:**

dan is hij echt een 8 waard.

is er nog ijs over?

> **Lien zegt:**

jammerdebammer, Kaatje,

alles is op.

en ik stop.

xie dat papa wil skypen.

superrrrrr!!!

luf u.

'Ha pap! Hoor je me?' tetterde Eline verrukt.

'Ja, Lienemieneke, ik hoor je goed', zei papa. 'Je hoeft niet zo hard te praten.'

'Oké,' zei Eline wat zachter, 'maar het is wel fijn dat we nu via de laptop kunnen praten.' Ze dacht aan mama, beneden in de kamer, die zou vast weer moeilijk doen als ze papa wilde bellen.

'Heel handig', vond papa. 'Hoe was je slaapfeestje?'
'Tof', verzuchtte Eline. Ze vertelde over het spel van
Ellen en over Emma die op de choco crispies was
geploft. Met geen woord repte ze over haar kaartje
met haar lievelingswens.
'Zeg pap, heb jij vannacht de maan gezien?' vroeg ze
opeens.
'Wat grappig dat je dat vraagt', lachte papa. 'Je lijkt
wel een helderziende. Voor ik de gordijnen dichttrok
heb ik een poosje staan kijken. Het was maar een
klein, smal maantje maar het gaf zoveel licht.'
'Ja, dat vond ik ook', zei Eline enthousiast. 'Wat
grappig dat we allebei naar de maan gekeken hebben.
We lijken op elkaar.'
'We lijken heel veel op elkaar', vond papa.
En dat vond Eline eigenlijk het mooiste moment van
het weekend.

Eline was blij dat papa had gezegd dat ze zoveel op
elkaar leken. Ze moest er de hele week aan denken.
En hoe meer ze erover nadacht, hoe duidelijker alles
werd. Opeens begon ze te begrijpen waarom ze altijd
zo graag bij papa was. Ze waren een beetje hetzelfde,
vonden dezelfde dingen leuk, maakten dezelfde
grapjes en hielden allebei van lekker eten.
Tegelijk begreep ze waarom het soms zo moeilijk
ging tussen haar en mama. Ze waren zo verschillend
als de dag en de nacht, de zon en de maan. Wat zij
leuk vond, dat vond mama maar niets. En van grapjes
hield mama al helemaal niet. Daar kon ze zelfs ruzie
om maken.

Het was fijn om te weten dat ze zo op papa leek, het maakte het iets makkelijker om mama te begrijpen. Eline werd er rustiger van. Toen ze aan het eind van de week het vriendinnendagboek kreeg, schreef ze:

Ik heb de hele week geen ruzie gehad met mama. Ik begrijp nu pas waarom: ik lijk op papa. En mama is zo'n beetje het tegenovergestelde van papa. En nu, precies op dit moment, bedenk ik opeens: zouden ze daarom zijn gaan scheiden? Omdat ze zo verschillend waren, dat ze niet bij elkaar pasten? Ik denk het.

Luc is hier wel vaak. Bijna elke dag. Hij is gymleraar (geen wiskunde gelukkig), vandaar zijn sportieve look. Met gym kan hij me thuis niet overhoren, gelukkig!
Hij wil leuke dingen doen, samen met mij. Hij vroeg laatst of ik schaken wilde leren. En of ik mee ging tennissen. Dat vindt hij gezellig, ik geloof dat hij zijn kinderen mist. Maar daar heb ik niet zo'n zin in. Bovendien: ik ben zijn dochter niet.

Verder had ze niets te schrijven. Ze klapte het dagboek dicht en keek op haar wekker. Ze kon nog wel even naar Kato gaan om het dagboek door te geven, het was toch nog te vroeg om te eten.

Kato was blij haar te zien. 'Eline! Ik wilde je net bellen.'

'Waarom?'

Plotseling daalde de vrolijke stemming van Kato. Ze begon zachtjes te praten. 'Ik zou vanavond met Emma gaan babysitten, maar nu mag ik opeens niet.'

Eline reageerde verbaasd. 'Waarom niet?'

'Omdat ik mijn kamer niet heb opgeruimd! Daarom niet. Wat een flauwekul', mopperde Kato. 'Als ik mijn deur dichtdoe, ziet niemand er wat van.'

Eline schoot in de lach.

Kato baalde. 'Nu ben ik aan het opruimen, maar ze moeten niet denken dat mijn kamer voor altijd netjes blijft. Echt niet.'

'Waarom wilde je mij dan bellen?' vroeg Eline.

'Oh ja, dat zou ik haast vergeten. Wil jij vanavond met Emma babysitten?'

'Dat vind ik leuk', zei Eline. 'Nou, dan ga ik gauw weer. Sterkte met opruimen.'

Toen Eline thuiskwam knipperde het lampje van het antwoordapparaat. 'Eline,' zei de stem van mama, 'vind je het erg als ik vanavond bij Luc eet? Ik ben bang dat er geen pizza in de vriezer ligt. Wil je zelf iets halen? Ik betaal je terug. Daag.'

'Daag', zei Eline tegen het antwoordapparaat. Ze pakte haar fiets maar weer en ging naar de winkel. Met een mandje aan haar arm liep ze langs de vakken vol voedsel. Bij de vis bleef ze staan. Gerookte zalm, dat was lekker. Ze nam een pakje. En een zakje sla, een stokbrood en een flesje cocktailsaus. Dat was toch veel lekkerder dan een diepvriespizza? En nog makkelijk en snel klaar ook.

Toen ze een stukje zalm aan haar vork prikte dacht ze aan papa. Hij zou dit ook wel lekker vinden. Waar was hij nu ook al weer? Oh ja, in Ierland. Dat had hij zondagmiddag gezegd toen ze aan het skypen waren. Van Ierland vloog hij naar Londen. En daarna, voor de allerlaatste keer naar... Ze was het vergeten, maar daarna begon hij aan die nieuwe baan. Misschien kon ze haar zelfbedachte recept wel een keer voor papa maken. Maar nu moest ze rennen, anders was ze te laat voor het babysitten en dat kon ze Emma niet aandoen. Onderweg kreeg ze een beter idee: ze zou het recept in het vriendinnendagboek schrijven, dan kon iedereen het maken. Maar ja, wanneer zou ze het dagboek weer krijgen?

Tien dagen moest Eline op het dagboek wachten, toen kreeg ze eindelijk de kans haar recept op te schrijven.

Verrukkelijk recept voor 1 persoon bedacht door Eline

Dit heb je nodig:
1 pakje gerookte zalm van 100 gram
1 klein zakje gemengde sla van 100 gram
1 flesje cocktailsaus
1 stokbroodje

Leg de plakjes zalm op een bord.
Versier het bord met wat plukjes sla en wat
cocktailsaus.
Maak de sla in een schaal aan met een beetje
cocktailsaus.
Snijd het stokbrood.
Smakelijk eten!

Hoe het verder met me gaat?
Ik heb bijna heimwee naar de tijd dat mama zei:
schuif maar een pizza in de oven. Of: er staat
wel een bakje eten in de koelkast. Mama eet nu
elke dag thuis. Weet je waarom? Omdat Luc hier
ook elke dag eet. Meestal blijft hij slapen. Het
lijkt wel of hij hier woont. Je kent de badkamer
niet meer terug. Er is bijna geen plaats meer om
mijn make-upspullen neer te zetten. Er staat een
grote scheerkwast, een bus met scheerzeep en
een scheermes natuurlijk. En dan is er nog een
flesje eau de toilette, alleen voor mannen. En
een deodorant, ook al voor mannen. Dan durven
ze nog te zeggen dat vrouwen veel geld uitgeven
aan toiletartikelen. Maar dat is niet waar en ik
kan het weten.

Vandaag viel ik bijna van de trap omdat Luc daar zijn sporttas had geparkeerd. Nou zeg...

En dat is het ergste niet. Toen ik eergisteren naar onze lievelingssoap lag te kijken op de bank vroeg hij: 'Moet jij geen huiswerk maken?'

Is dat niet belachelijk!!!! Het is toch zeker mijn huiswerk? En ook mijn soap.

Misschien wilde hij zelf wel op de bank liggen om voetbal te kijken. En het is iedere avond hetzelfde liedje met hem: al een uur voor ik naar bed moet zegt hij: 'Eline, het is bedtijd.'

Hij bemoeit zich veel te veel met mij. Verdorie, hij doet net alsof hij mijn vader is. Maar over mijn eigen vader wordt hier in huis niet gepraat.

Eline bladerde terug in het dagboek om te kijken wat haar vriendinnen geschreven hadden. Yelien vroeg of ze zaterdag wat eerder, tegen zessen, op haar slaapfeestje konden komen. Kato had namelijk aangeboden om pannenkoeken te bakken. Emma had een leuk stukje geschreven over Mimauw, haar kat. Haar vader was eieren aan het bakken. Hij legde twee sneetjes brood op zijn bord, met de laatste twee plakken ham erop. Toen hij zich omdraaide om de pan met eieren te pakken, greep Mimauw haar kans. Ze ging er vandoor met een grote lap ham in haar bek. Het gezicht van haar vader was niet te beschrijven.

❀ 130 ❀

Met een glimlach sloeg Eline het dagboek dicht en verstopte het onder de stapel truien. Toen haalde ze haar agenda uit de tas. Gelukkig, het huiswerk viel mee. Ze had alleen wiskunde, dat viel wel weer tegen. Eerst ging ze nog even online om te kijken of haar vriendinnen er waren. Ja, hoor, Emma was er.

> **Lien zegt:**
    haai emmetje.
    hoestie?
> **Em zegt:**
    lientje, wat een toeval.
    ik zit hier nog geen minuut.
    ik was druk bezig op de nmchn.
> **Lien zegt:**
    op de wat?
> **Em zegt:**
    op de naaimachine!
    ik heb een nieuwe tas gemaakt
    van een oude spijkerbroek.
    papgemakkelijk!
    de zakken zaten er al op.
    ik heb de tas versierd met glimmertjes:
    rood, paars en zilver.
> **Lien zegt:**
    wow! das best crea!
> **Em zegt:**
    ik heb er een foto van gemaakt.
    die wil ik eigenlijk in ons dagboek plakken
    met de werkwijze erbij.
    kun je het boek missen?

> **Lien zegt:**
  kom maar halen.
  ik heb net een heerlijk recept opgeschreven.
> **Em zegt:**
  ik kom eraan.
  tot zo.

Vijf minuten later zaten ze samen op Elines kamer.
Trots hield Emma haar nieuwe tas omhoog. 'Kijk!'
'Aah, leuk! Die wil ik ook', zei Eline. 'Vind je dat erg?'
'Natuurlijk niet,' zei Emma, 'je kunt zo'n tas op
zoveel verschillende manieren versieren, dat er
geen twee hetzelfde zijn. Heb je nog een oude
spijkerbroek?'
'Vast wel', zei Eline.
'De tas is zo klaar, ik zal het voor je tekenen', zei
Emma. 'Heb je het dagboek?' Ze viste de foto uit haar
nieuwe tas en plakte die in het dagboek. Daaronder
schreef ze:

Knip de pijpen van je spijkerbroek.
Stik de onderkant stevig dicht.
Maak van de pijpen een lange band.
Stik de band aan de tas.
Versier je tas met pailletten, bandjes of kantjes.
Of met figuurtjes uit lapjes stof.
Of met alles wat je zelf bedenken kunt.

Eline las mee. 'Dat is simpel.'

Emma knikte. 'Het versieren duurde langer. Is je moeder weg?'

'Ze is tennissen met Luc.' Eline rolde met haar ogen. 'Ze had altijd een hekel aan sport en nu tennist ze opeens twee avonden in de week. Luc geeft haar les. Ik ben benieuwd hoe lang ze het volhoudt. Oh, ik hoor de deur. Daar komen ze.'

Emma stond op. 'En ik ga, anders krijg ik op mijn kop dat ik te laat thuis ben. Morgen lekker met zijn allen naar de film.'

Eline liep mee tot de voordeur. 'Ja, leuk!'

Toen ze weer terugkwam zag ze het dagboek liggen. Emma had het nu niet meer nodig. Ze stopte het weg.

Eline zat in de klas en leunde relaxed achterover. Dit was zo'n dag dat er niets mis kon gaan, alles ging haast vanzelf. Ze draaide zich om naar de deur en zag meneer Klaassen binnenkomen. Eigenlijk had ze toen al kunnen weten dat het fout zou lopen. Ze was vergeten haar huiswerk te maken. Toen Emma weg was, had ze niet meer aan wiskunde gedacht. Ze had allerlei leuke bandjes en kantjes bij elkaar gezocht om ook zo'n spijkertas te maken.

Ze maakte zich klein, om niet op te vallen. Dan kreeg ze vast geen beurt.

Maar meneer Klaassen had iets nieuws bedacht.

'Lever jullie schrift maar in, ik kijk het thuis na.'

Eline gaf de stapel schriften door zonder haar eigen schrift erbij te doen. Meneer Klaassen had het natuurlijk meteen in de gaten.

'Eline, ik mis jouw schrift nog.'

Was die man soms helderziend? Het leek wel of hij speciaal op haar lette, anders had hij nooit zo snel kunnen merken dat haar werk er niet bij zat. Wie miste nu één zo'n schriftje op een hele stapel?

Meneer Klaassen kwam voor haar tafel staan in zijn geblokte jasje. 'Jongedame, wat je ook bereiken wilt in je leven, onthoud één ding: het begint bij wiskunde. Als je niet op je tellen kunt passen, kom je nergens. Dus, waar is jouw huiswerk?'

'Ik ben het echt vergeten, meneer. Eerlijk waar', piepte Eline. 'Mag ik het alsjeblieft morgen inleveren?'

'Vooruit dan.' Zo was meneer Klaassen ook wel weer. Aan het eind van de les gaf hij vrolijk een nieuwe portie huiswerk mee. Voor morgen nog wel, een hele bladzijde van het werkboek invullen. En hij zei er speciaal achteraan: 'Niet vergeten, Eline. Staat het in je agenda?'

Ja, daar stond het in. Alsof dat hielp.

'Help!' smeekte ze haar vriendinnen na school. 'Mag ik voor deze ene keer het huiswerk van vandaag overschrijven? We hebben al zo veel werk opgekregen voor morgen en vanavond gaan we naar de film. Please, mag het?'

'Dat kan niet', antwoordde Yelien.

Eline keek diep teleurgesteld.

'Meneer Klaassen heeft ons huiswerk', zei Yelien droog.

'Wat stom, dat was ik vergeten', zuchtte Eline. 'Ik ben weg, huiswerk maken. Tot straks.' Ze racete regelrecht naar huis. Uitgerekend vandaag hadden ze ook nog de langste schooldag, waardoor er maar weinig tijd overbleef.

Ze begon meteen te werken, zonder televisie en zonder soap. Eerst die geschiedenisvragen, dat waren er maar een paar. Dan had ze die vast af. De vragen waren lekker makkelijk, binnen een kwartier was ze klaar. Nu wiskunde nog. Ze bekeek de opdrachten in het werkboek en zuchtte. Cijfers zouden nooit haar hobby worden. Zou ze Ellen bellen? Die schudde de antwoorden zo uit haar mouw. Nee, ze moest het zelf doen. Toen ze eenmaal bezig was viel het huiswerk toch nog mee. Echt moeilijk was het niet, het kostte alleen zoveel tijd. Met het puntje van haar tong tussen haar lippen pende ze de antwoorden neer.

'Eline, dek je even de tafel?' riep mama.

Eline was doof en schreef driftig verder.

Even later werd ze opnieuw geroepen, maar nu klonk het wat ongeduldiger. 'Eline, kom je?'

Ik kom er aan, nog heel even, dacht Eline.

Stevige voetstappen klonken op de trap, gevolg door een klop op haar deur. Luc kwam binnen. Ze schrok zich rot.

'Je moeder vraagt of je even de tafel dekt', zei hij.

'Ik ben huiswerk aan het maken', wees Eline.

'Dat zie ik,' zei Luc kalm, 'maar als je moeder je iets vraagt dan doe je dat. Je hebt de hele avond nog de tijd om huiswerk te maken.'

Eline schudde haar hoofd. 'Nee, ik ga naar de film.'

Nu schudde Luc ook zijn hoofd. 'Jij gaat niet naar de film als je huiswerk niet af is. Maar nu ga je eerst je

moeder helpen, zij heeft ook een drukke dag gehad.'
Weg was Luc.

Roerloos zat Eline aan haar bureau. Wat was dit? Dit
was toch niet normaal? Luc had niets over haar te
vertellen. En zij had niets, helemaal niets met hem te
maken. Dit was echt te belachelijk voor woorden. Straks
ging hij zich nog verbeelden dat hij haar vader was.
Eline staarde naar haar wiskundeboek, haar pen
vloog niet langer over het papier. Ze leek wel
bevroren.

Ze schrok op toen haar moeder riep. 'Eline, eten!'
Als een robot liep ze naar beneden. De tafel was
gedekt, mama en Luc zaten al te wachten.

Zwijgend schrokte ze haar bord leeg, zo snel ze kon.
'Mag ik naar boven om mijn huiswerk af te maken
voor ik naar de film ga?' vroeg ze aan mama.

'Jij gaat niet naar de film', zei Luc kalm. 'Je moeder
vroeg je om de tafel te dekken. Je mag haar best een
handje helpen. En heb je dat gedaan? Nee. Dan ga je
ook niet naar de film.'

'Ik had echt heel veel huiswerk!' riep Eline.

'Dan moet je je tijd beter verdelen. Misschien is het
gewoon geen goed idee om midden in de week naar
de film te gaan', vond Luc. Hij leek nog steeds akelig
kalm, terwijl bij mama de rode vlekken vanuit haar
hals omhoog kropen. 'Afspraak is afspraak. Je moeder
vraagt jou iets, jij zegt nee. Nu vraag jij je moeder iets
en zegt zij nee.'

Eline kneep haar handen tot vuisten. 'Mama heeft
helemaal nog niets gezegd! Toe, mam, zeg jij dan
eens wat!'

Aarzelend kaak haar moeder van Eline naar Luc en toen weer naar Eline. 'Wat moet ik hiervan zeggen?' Elines zucht was er een van orkaansterkte. Ze zag hoe Luc zijn hand op die van mama legde en er zachte klopjes op gaf. Met een tevreden gezicht keek hij Eline aan. 'Afspraak is afspraak. Jij gaat niet naar de film.'

Razend werd ze van die man. Ze stormde naar haar kamer en smeet de deur met een knal achter zich dicht. Wat verbeeldde Luc zich wel! Alsof hij ook maar iets over haar te zeggen had. Hij was haar vader niet!

Ze boende een paar verdwaalde tranen weg en snoot haar neus. Toen boog ze zich over haar wiskundeboek, nog nahijgend van woede. Haar hart bonkte, ze hoorde het bloed in haar oren suizen.

Zo kon ze toch geen wiskunde maken? Het moest! Anders had ze morgen een groot probleem. Ze sloot haar ogen, concentreerde zich en haalde diep adem. Ze kon het.

Toen ze nog maar één opgave moest maken hoorde ze buiten fietsbellen rinkelen en het gelach van haar vriendinnen. Ze kwamen haar halen. Daar ging de bel al. Even bleef ze roerloos zitten. Ze hoorde mama's hakjes tikken op de tegels en daarna de voordeur schuivend over de deurmat gaan. Toen sprong ze op. Ze greep haar jas van de kapstok en liep door de openstaande deur naar buiten. 'Dag mam, ik ben naar de film.'

Achter zich hoorde ze zacht de voordeur in het slot vallen. Ze zuchtte. Dit hield ze echt niet langer vol.

Net om de hoek kreeg Eline spontaan een huilbui. Dikke tranen rolden uit haar ogen en ze kon ze niet tegenhouden. Haar schouders schokten en ze snakte naar lucht. Haar vriendinnen stonden in een kringetje om haar heen en keken haar sprakeloos aan. Ze lieten haar huilen tot de tranen op waren, klopten op haar rug en aaiden over haar armen.

'Sorry', zuchtte Eline na een poosje. 'Het gaat wel weer, laten we maar gauw naar de film gaan.'

Yelien sloeg haar armen om haar vriendin en hield haar stevig vast. 'Zo gaan we niet naar de film. Je moet ons eerst vertellen wat er is gebeurd.'

Hakkelend vertelde Eline het hele verhaal en met het verhaal kwamen de tranen opnieuw.

'Wat stom van Luc!' stoof Kato op.

'Het is ook niet aardig van je moeder', vond Ellen.

Eline zuchtte. 'Ik kan er echt niet meer tegen. Dit houd ik niet meer vol.'

De vriendinnen werden doodstil.

'Bedoel je dat je bij je vader gaat wonen?' vroeg Yelien zachtjes.

Eline boog haar hoofd. 'Ja.' Ze fluisterde het zacht.
Toen keek ze op. 'Ik weet het niet, ik wil zo graag...
maar het is zo moeilijk.'
'We helpen je,' zei Yelien.
'We laten je echt niet in de steek,' beloofde Kato
vurig.
'Ik weet niet eens hoe Luc tegen me doet als ik straks
thuiskom', zuchtte Eline. 'Is hij boos? Krijg ik straf
omdat ik toch naar de film ben gegaan? Ik ken hem
niet eens, snap je? Maar hij... hij moet niet doen
alsof hij mijn vader is. En mijn moeder...' Eline was
even stil. Toen keek ze haar vriendinnen met grote
ogen aan. 'Zou ze... zou ze soms denken dat Luc
maar mijn nieuwe vader moet worden, zodat we die
oude vader mooi kunnen vergeten?' Zwijgend keek
ze haar vriendinnen aan. 'Ik word er gek van! Zullen
we maar gewoon naar de film gaan? Dan houdt mijn
hoofd misschien op met denken.' Dat laatste kwam er
treurig uit.

Met zijn allen brachten ze Eline na de film weer thuis.
'We gaan mee tot je kamer', beloofde Yelien.
'Ik vind het wel eng', zei Emma zacht. 'Ik sta te trillen
op mijn benen.'
'Ik ook', knikte Eline. Ze haalde diep adem. 'Kom, we
gaan naar binnen.'
Op een rijtje liepen ze achter elkaar aan, Eline voorop.
'Ik ben weer thuis', riep ze, terwijl ze haar best deed
haar stem zo gewoon mogelijk te laten klinken. Ze
liet haar vriendinnen voorgaan naar de gang. Vlak
voordat ze de deur achter zich dichttrok keek ze nog

snel even over haar schouder. 'Ze gaan zo meteen weer weg.'

Mama knikte.

'Over vijf minuten', waarschuwde Luc.

Oei, hij meende het, zag Eline.

Ze glipte gauw achter haar vriendinnen aan naar haar kamer.

Ellen keek naar het wiskundeboek dat nog opengeslagen op het bureau lag. 'Ben je klaar?'

'Op de laatste na, geloof ik.' Toen sloeg Eline haar hand voor haar mond. 'Het huiswerk van vandaag! Dat ben ik vergeten.'

Ellen vulde de laatste uitkomst in. 'Geef me je schrift maar, dan maak ik het wel voor je. Jij hebt wel wat anders aan je hoofd.'

'Maar als je in haar schrift schrijft ziet meneer Klaassen het verschil in handschrift', schrok Emma.

Ellen legde het werkboek naast het schrift. 'Zie jij het verschil?'

Emma schudde haar hoofd.

'En meneer Klaassen ziet het ook niet', beloofde Ellen, 'Eline en ik schrijven de cijfers hetzelfde. Morgen neem ik je schrift mee naar school.'

Met zijn vijven sloegen ze de armen om elkaar heen.

'Denk goed na', drukte Yelien Eline op het hart. 'En denk aan jezelf. Neem pas een beslissing als je zeker weet wat je wilt.'

'Dank je wel, allemaal', zei Eline zacht. 'Jullie zijn de allerbeste vriendinnen die er bestaan.'

'Voor altijd en eeuwig', beloofde Kato plechtig.

'Forever', knikte Eline. Ze dacht aan Luc. Vijf

minuten, had hij gezegd. 'Maar nu moeten jullie echt gaan, want anders...'

Met een gejaagd gevoel liet ze haar vriendinnen uit. Toen ze de deur zachtjes in het slot liet vallen, stond Luc achter haar.

'Met jou heb ik nog een appeltje te schillen', bromde hij. 'Denk je nu echt dat je kunt doen waar je zin in hebt?'

Eline staarde naar haar schoenen.

'Je bent toch naar de film gegaan, tegen alle afspraken in', ging Luc verder. 'Voor straf krijg je huisarrest tot na het weekend.'

'Wat!' riep Eline.

'Het zal je leren je aan de regels te houden', zei Luc kalm. 'Dan denk je volgende keer wel twee keer na voor je zoiets doet.'

Eline kneep haar handen tot vuisten. 'Het is gemeen. We hadden al dagen geleden afgesproken dat we naar de film zouden gaan. Ik kon toch ook niet weten dat we opeens zoveel huiswerk hadden! Mam!' Ze liep naar de kamer waar haar moeder op de bank zat. 'Mam, jij wist toch ook dat we naar de film zouden gaan?'

Haar moeder keek verbaasd. 'Naar de film?'

Eline knikte driftig. 'Ja, dat heb ik je nog verteld. Het was de laatste avond dat die film draaide.'

Mama trok haar schouders op. 'Dat weet ik echt niet meer.'

Nu ging Luc zich er weer mee bemoeien. 'Daar gaat het ook niet om. Jij blijft binnen tot maandag.'

'Dat is niet eerlijk!' riep Eline.

'Weet je wat niet eerlijk is?' vroeg Luc, nog steeds rustig. 'Dat jij je moeder overal alleen voor op laat draaien, dat is niet eerlijk. Ze heeft al een drukke baan, doet de boodschappen, kookt het eten, terwijl jij je prinsessenleven leidt. Dát is niet eerlijk.'

Eline drukte haar nagels in haar handpalmen.

Wat!!! Haar moeder die kookte? Ja, sinds kort. Maar daarvoor? Wat wist Luc daar nou van? Ze zou het hem zeggen ook. 'Wat weet jij daar nou van!'

'Ik zie hoe jij lekker op je kamer zit, terwijl je moeder het zo druk heeft', zei Luc. 'En ik zie dat jij doodleuk naar de film gaat, terwijl je dat niet mag. Nee, jongedame, het wordt tijd dat jij eens leert je aan de regels te houden, hoog tijd.'

Eline stond te trillen op haar benen. 'Oh ja? Het wordt tijd dat ik ga! De hoogste tijd.'

'Ik denk het niet', zei Luc. 'Bovendien heb je tot maandag huisarrest.'

Eline werd woest op de man die daar zo rustig stond te preken alsof hij de baas over haar was. De tranen knalden uit haar ogen. 'Jij... jij... jij hebt niks over mij te zeggen! Helemaal niks!'

Met een oorverdovende knal sloeg ze de deur achter zich dicht. Snuivend en snotterend stoof ze naar haar kamer. Daar volgde de tweede knal. Alsof de deuren er ook maar iets aan konden doen.

Huilend viel ze op haar bed en liet haar tranen stromen. Na een poosje ging ze op haar zij liggen. Ze trok haar knieën op, kruiste haar armen voor haar borst en wiegde zachtjes heen en weer. Ze werd er rustig van. Een droge snik borrelde nog op. Ze dacht na. Dat ze bij papa ging wonen stond nu vast, daar hoefde ze geen moment over te twijfelen. Maar hoe moest ze dat aanpakken? Ze zou het niet tegen mama zeggen. Dat durfde ze niet. Ze was veel te bang dat ze niet mocht. En de kans was groot dat mama Luc er weer bij haalde. En van Luc had ze voorlopig genoeg. Huisarrest tot maandag! Hij dacht toch zeker niet dat ze het slaapfeestje voorbij liet gaan?

Die avond lag ze heel lang wakker, maar voordat ze eindelijk in slaap viel had ze een plan.

'Hier is je wiskundeschrift', zei Ellen de volgende morgen.

Ze stonden op het schoolplein in een kringetje bij elkaar.

'El, je bent geweldig, bedankt', zei Eline. 'Je hebt er toch wel een paar foutjes in gemaakt?'

Ellen keek verbaasd. 'Waarom?'

'Meneer Klaassen weet niet wat hij ziet als er ik mijn werk foutloos maak.'

'Dan heeft meneer Klaassen vandaag de dag van zijn leven', lachte Ellen.

'Is alles goed gegaan gisteren? Heb je nog na kunnen denken?' vroeg Yelien.

'Het liep helemaal mis', zuchtte Eline. 'Ik heb voor straf huisarrest tot maandag, dat heeft Luc bedacht.'

'Tot maandag?' schrok Yelien. 'En het slaapfeestje dan?'

'Ik ben er, al moet ik langs de regenpijp ontsnappen,' beloofde Eline. 'Weet je wat hij ook nog zei?' Ze hapte naar adem. 'Dat ik een prinsessenleven leid.' Ze was even stil. 'Het leven van een diepvriesprinses, zal hij bedoelen.'

Yelien sloeg een arm om Eline heen en drukte haar tegen zich aan. 'Ach, wat gemeen. Wat weet hij daar nou van?'

'Hij weet er helemaal niks van, hij doet net alsof hij de baas is', zuchtte Eline. 'Maar dat duurt niet lang meer. Ik ga bij papa wonen. En ik heb al een plan.'

'Oh ja?' Vijf hoofden doken bij elkaar.

'Ik vertrek zaterdag.' Elines stem trilde. 'Ik kom gewoon naar het slaapfeestje, dan kunnen we voor de laatste keer pannenkoeken eten met elkaar. Daarna neem ik de trein naar papa.'

Yelien keek haar vol bewondering aan. 'Je hebt er echt goed over nagedacht.'

'Ja,' zei Eline, 'ik weet heel zeker wat ik wil.'

'Weet je vader het al?' vroeg Ellen.

'Ik bel hem nog', antwoordde Eline.

'Maar je eet niet je laatste pannenkoek', troostte Kato haar. 'Het volgende slaapfeestje is bij jou en dan bak ik weer pannenkoeken. Goed?'

'Dat is afgesproken', zei Eline. Ze rilde, ook al scheen de zon. Het afscheid nemen was begonnen. Ze had haar keuze gemaakt. De schooldag trok in een roes aan haar voorbij. Zelfs de lofzang van meneer Klaassen op haar foutloze huiswerk gleed voor het grootste deel langs haar heen. Ik zie hem ook voor de allerlaatste keer, dacht ze in een flits. Alleen vrijdag nog... en dan is dit opeens mijn oude school met mijn oude klas. Maar mijn vriendinnen blijven mijn vriendinnen.

's Avonds zat ze aan haar bureau boven haar huiswerk te staren. Nog twee nachtjes slapen... dan woonde ze bij papa. Eindelijk! Het was voor iedereen beter.

Er werd zachtjes op haar deur geklopt. Mama kwam binnen. 'Zit je huiswerk te maken?'

'Ja', zei Eline.

'Ik wil je nog iets vragen', begon mama. 'Luc kookt zaterdagavond voor zijn kinderen. Hij vindt het leuk als wij ook komen. Wat denk je daarvan?'

'Ik kan niet, ik heb toch huisarrest', zei Eline.

'Maar als Luc je uitnodigt telt dat toch niet', vond mama.

'Regels zijn regels, dat zegt Luc zelf', hield Eline vol. Mama zuchtte hoofdschuddend. 'Jullie lijken wel op elkaar, allebei even koppig. Tja, dan ga ik wel alleen. Vind je het erg?'

'Nee', zei Eline. Ze bedoelde: nee, ik lijk echt niet op hem. Hoe kom je erbij?

Maar het kwam wel mooi uit dat mama daar ging eten.

Al vroeg die zaterdagmiddag vertrok mama naar Luc. Eline keek haar na vanuit haar kamer.

'Dag mam', zei ze zacht. Ze draaide zich om en liep langzaam naar de poster van *my special boy*.

'Dit zijn mijn laatste uurtjes in deze kamer', zei ze. 'Maar ik laat jou echt niet in de steek, jij gaat mee.' Ze haalde de poster van de muur en rolde hem op. Waar moest ze hem laten? In haar tas voor het slaapfeestje? Toen pas drong het tot haar door dat ze toch beter wat meer kleren mee kon nemen. Ze trok haar turquoise koffer onder haar bed uit en begon wat kleren in te pakken. Heel even kreeg ze een loodzwaar gevoel. Was het wel verstandig wat ze deed? Onzin, het ging hier toch niet om verstand? Het ging om hoe ze zich voelde. Doodongelukkig was ze geweest. Maar daar kwam nu een einde aan. Bij papa zou ze weer gelukkig zijn. Het loodzware gevoel trok meteen weg.

Zo, nu had ze wel genoeg kleren ingepakt. Ze keek nog eens rond. Oh ja, haar wekker nog. En de oplader van haar telefoon. En de kleurige laptop die ze van papa had gekregen. Ze legde de poster er voorzichtig bovenop en sloot de koffer. Zomaar opeens dacht ze aan mama. Mama zou niet eens begrijpen waarom ze wegging, maar ze moest het weten. Het was te belangrijk voor Eline. Zou ze het ooit tegen haar moeder durven zeggen? Ze was bang van niet. Maar ze kon het wel opschrijven, dan wist mama waarom ze was gegaan. En dan wist mama ook waar ze was. Ze pakte een vel papier en een pen, dacht even na en begon te schrijven.

Voor mama

Ik ben weg.
Ik ga bij papa wonen.
En weet je waarom?
Ik heb er genoeg van, ik kan er niet meer tegen.

Eerst was je nooit! nooit! nooit! thuis. Dacht je dat dat leuk voor me was? Altijd in mijn eentje diepvriespizza eten...

En nu is Luc hier opeens, hij doet net doet alsof hij mijn vader is.

Ik heb al een vader, een superlieve. Maar ik mag van jou niet over hem praten. En ik hoef geen nieuwe, als je dat maar weet.

Daarom ben ik weg.

Eline

Ze legde de brief op haar bureau naast de kaart die ze voor haar vriendinnen had gemaakt. Op de voorkant glansde een foto waar ze met zijn vijven opstonden, vrolijk lachend en dicht bij elkaar. Binnenin had ze met rode letters geschreven:

> Best Friends 4ever,
> Luf u very, very muts
> Baai baai,
> see u soon!

En aan de andere kant had ze een klein gedichtje geschreven dat ze zelf had gemaakt:

Bij jullie weggaan doet verdriet
maar afscheid nemen doen we niet
want onze vriendschap blijft bestaan
ook nadat ik ben weggegaan.

Dikke kus

Eline
💙 4ever 💙

Ze stopte de kaart in haar tas en wilde op haar
wekker kijken, maar die stond er niet meer. Haar
nachtkastje was leeg. Het was eigenlijk al een beetje
haar kamer niet meer. Haar hoofd was al ergens
anders, haar hart ook.
Kom, ze moest maar eens gaan. Ze pakte haar tas
en haar koffer. Langzaam liep ze de kamer uit. Op
de drempel keek ze nog een keer om. Toen trok ze
vastbesloten de deur achter zich dicht.
Fietsen met een koffer en een tas lukte niet. Ze zette
de koffer achterop en hing de tas aan het stuur. Toen
drong het tot haar door dat ze niet op de fiets kon
gaan, omdat ze met de trein verder ging. Ze liet de
fiets achter in de tuin en ging lopen, de koffer op
wieltjes ratelend achter haar aan. Ze had op internet
gekeken wat een treinkaartje kostte en ze had haar
banksaldo nagekeken. Ze kon het kaartje betalen
en hield nog geld over. Ook had ze een zakje zoete
suikerhartjes gekocht voor vanavond. Ze smaakten

wel erg zoet, maar er stonden zulke lieve woordjes op. En daar ging het haar om.

12

Het werd stil toen Eline met haar koffer
binnenkwam.
'Nu gaat het echt gebeuren', zei Emma stilletjes.
Yelien knipperde met haar ogen tegen de tranen.
Maar gelukkig was Kato er ook nog. Met een verhit
gezicht riep ze: 'Eten! De pannenkoeken zijn klaar!'
Toen was de ergste spanning weg.
Na het eten haalde Eline haar kaart en de
suikerhartjes tevoorschijn.
'Ach, wat lief', zuchtte Yelien. Ze moest weer even
met haar ogen knipperen.
'Wij hebben ook iets voor jou', zei Ellen. Ze haalde
het roze spaarvarken te voorschijn en trok de dop los.
Alle briefjes en munten rolden eruit. 'Voor jou, voor
een treinkaartje.'
'Nee, dat hoeft niet', protesteerde Eline. 'Ik heb geld
voor een treinkaartje.'
'Het is bedoeld voor de terugreis', legde Ellen uit.
'Neem het maar en bewaar het, dan heb je altijd geld
om naar ons toe te komen als je daar zin in hebt.'
'Ach, wat lief van jullie', zuchtte Eline.

Emma gaf een plat pakje en een kaart. 'Dit hoort
erbij.'
Eline keek. Ze hadden de tekst in cirkels geschreven,
zodat ze de kaart telkens moest draaien. Zachtjes las
ze:

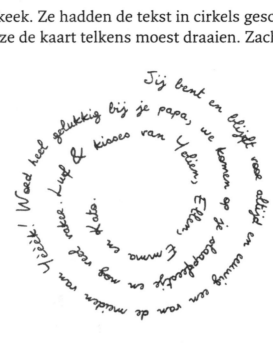

Eline slikte. 'Ach, wat lief.' Ze maakte het platte pakje
open en lachte. Haar vriendinnen lachten mee, want
in het pakje zat een lijst met daarin precies dezelfde
foto als op Elines kaart.
'Voor boven je bed, op je nieuwe kamer', legde Kato
uit.
Eline stak haar armen uit naar hen allemaal en ze
knuffelden elkaar.
'Nu moet ik gaan', zei Eline. 'Ik mag mijn trein niet
missen.'
Yelien sprong op. 'We gaan mee, we brengen je naar
de trein.'

'Tot aan het station', smeekte Eline, 'en niet verder. Ik kan niet zo goed tegen afscheid nemen. Als de trein gaat rijden en jullie blijven achter op het perron...'

Voor de ingang van het station stonden ze stil.

'Je bent mooi op tijd.' Kato klonk schor.

Yelien knipperde met haar ogen. 'Ik lijk misschien niet vrolijk, maar ik ben heel blij voor jou.'

'Ik ook', slikte Emma.

'We zien elkaar gauw', troostte Ellen. 'Doe de groeten aan je vader van ons allemaal.'

'Ik bel gauw,' zei Eline.

'En we chatten en mailen en skypen,' beloofde Ellen.

Er was nog een laatste omhelzing.

'Ik moet gaan,' zei Eline. 'Dag.'

Zonder om te kijken liep ze het station binnen. Ze zette haar koffer neer bij de kaartautomaat en kocht een kaartje. Een enkele reis. Ze haalde diep adem. Zo, ze had de eerste stap gezet. Nu ging ze op weg naar een nieuw leven. Ze pakte haar koffer op en keek nog een keer om. Haar vriendinnen waren al uit het zicht verdwenen. De avondzon hing laag boven de stad en legde een oranje gloed over de huizen en de straten. Als ze straks bij papa aankwam zou de zon al onder zijn. Met een ruk draaide ze zich om en ging op weg naar spoor 7.

Langzaam gleed de trein het station binnen. Ze stapte in een lege coupé en ging bij het raam zitten, met haar koffer naast zich.

Er liep een oudere vrouw voorbij het raam. Even later kwam ze de coupé binnen met een klein meisje aan haar hand. Ze gingen schuin voor Eline zitten.

Er klonk een snerpend gefluit. Eline voelde een schokje. Langzaam kwam de trein in beweging. Ze sloot haar ogen. Dit was het moment waarvan ze zo vaak had gedroomd.

De trein ging sneller. Eline leunde met haar hoofd tegen het raam. Ze voelde de train over de rails denderen. Kedoeng-kedoeng-kedoeng... steeds verder van huis, steeds dichter bij papa. Ze schrok op toen de trein ratelend over een stalen brug raasde. Beneden op het water gleden bootjes in het laatste zonlicht. En verder zoefde de trein. Ze slaakte een diepe zucht van opluchting en ontspande.

Het kleine meisje was tegenover de vrouw gaan zitten. 'Oma, duurt het nog lang voor we bij opa zijn?'

'Nog een kwartiertje', hoorde Eline de vrouw antwoorden.

'Een kwartiertje, is dat lang?' vroeg het meisje.

'Nee, dat is niet lang', antwoordde de vrouw.

'Gelukkig', zei het meisje. 'Opa is heel blij als hij ons ziet.'

Eline glimlachte. Papa zou ook heel blij zijn als hij haar zag. Wat zou hij verbaasd zijn als ze vertelde dat ze bleef. Ze moest hem nog bellen. Ze haalde haar telefoon uit haar tas. Ze aarzelde. Misschien kon ze beter even wachten tot na het volgende station. Daar stapten de vrouw en het meisje uit en had ze de hele coupé voor zich alleen.

Ze keek weer uit het raam. Groene weilanden gleden voorbij, omzoomd door rijen bomen die schuin met de wind mee leunden. Zwart-witte koeien stonden in

groepjes bij elkaar. Af en toe passeerden
ze een overweg met rinkelende bellen en een klein,
kronkelend weggetje.

De trein minderde vaart en gleed een station binnen.

'Daag', zwaaide het meisje naar Eline.

'Daag', wuifde Eline terug.

Er stapte een meisje in met lang blond haar en veel
make-up. Ze ging aan het andere einde van het rijtuig
zitten sms'sen.

De deuren van de trein sloten met veel gesis en
verder ging het. Ze was nu op de helft ongeveer, tijd
om papa te bellen. Hij kwam haar natuurlijk ophalen
van het station. Ze toetste zijn nummer in.

'Lienemieneke!' Papa klonk blij, maar ook een beetje
verrast.

'Pap', begon Eline.

'Wacht, ik moet even mijn paspoort laten zien.'

'Je paspoort! Ben je niet thuis?'

'Ik ben net aangekomen op het vliegveld van Karachi',
zei papa.

Karachi? De wereld stortte in. Eline kreeg het gevoel
dat ze flauwviel. Het werd zwart voor haar ogen.

Haar telefoontje kletterde op de grond. Ze greep zich
vast aan het tafeltje. Haar mond was kurkdroog. Ze
slikte.

Hieperdepiep hoera! klonk haar telefoontje vrolijk op
de grond.

Met een schok kwam Eline weer tot zichzelf. Ze griste
haar telefoon van de vloer. 'Pap!'

'Daar ben ik weer', zei papa. 'De verbinding werd
verbroken.'

'Papa!' zei Eline. 'Ik...' Ze hoorde geruis.

'Eline, hoor je me nog?' riep papa ergens vaag tussen het geruis. 'De lijn is zo slecht, je valt steeds weg. Zo meteen vertrekt mijn vliegtuig. Morgenvroeg ben ik weer thuis, dan bel ik je. Heb je me gehoord? Kusje.'

'Kusje', antwoordde ze.

Met bonkend hart staarde ze naar het toestel in haar handen. Papa was niet thuis. Wat nu? Het leek wel of haar hersens verlamd waren, ze kon niet eens meer normaal denken. Ze leunde met haar hoofd op haar handen. Terug naar huis dan maar? Nee, dat nooit. Dan begon alles weer opnieuw. Wanneer kwam papa ook al weer thuis? Morgenvroeg, had hij gezegd. Dat kon best al heel vroeg zijn. Om zes uur misschien al wel. Zo lang kon ze toch wel ergens wachten?

De trein stopte. Het blonde meisje stapte uit.

Opnieuw was Eline alleen. Ze las de borden op het verlichte perron. Bij het volgende station moest ze eruit. En dan?

Ze ging Yelien bellen. Haar vriendinnen hielpen haar de nacht wel door. Haar vingers trilden toen ze haar telefoon pakte. Waarom deed dat ding het niet? Kwam het door de val? Nee, want daarna had papa nog gebeld. Help! De batterij was leeg. De oplader zat in haar koffer, maar er was geen stopcontact. Ze kreunde. Daar zat ze dan. Het liep zo anders dan ze zich had voorgesteld. Zoekend keek ze om zich heen, maar er was niemand die haar kon helpen.

Kedoeng-kedoeng. De trein denderde weer verder. Eline keek naar buiten. Het was donker. Ze zag zichzelf weerspiegeld in het raam. Pas toen ze heel goed keek ontdekte ze een eenzame lichtbundel van een auto in de verte. En een boerderij waar het licht brandde achter gesloten gordijnen. Het gaf haar een gevoel van eenzaamheid. Ze ging met haar rug naar het raam zitten.

Op het eindstation stapte ze uit. Daar zag ze een bordje met *Uitgang* erop. Als ze dat volgde kwam ze onderweg wel een bankje tegen waarop ze kon wachten. Ze liep door de lange tegelgangen waar het daglicht nooit kwam, haar koffer ratelend achter zich aan trekkend. Nooit scheen hier de zon, maar langs de schaduwranden van het harde licht uit de lampen zag ze mensen in elkaar gedoken zitten. Dakloos, net als zij. Ze struikelde over een paar benen en mompelde: 'Sorry.' Verder ging ze.
Een jongen met een petje haalde haar in. Opgefokt ging hij voor haar staan. 'Hela, chick, ga je mee?'
Met een ruk keerde ze om, haar koffer zwierde door de lucht. Gelukkig, de jongen liet haar met rust.
Vanuit de schaduw kwam een schim aarzelend op haar af. Het was een magere man met een mutsje op zijn lange, plakkerige haren. Hij keek naar haar en daarna naar haar koffer. Toen stak hij zijn hand uit en lachte met zijn tandeloze mond.
Ze versnelde haar pas. Ze moest hier weg. Nergens stonden bankjes, maar al zou er een zijn, hier durfde ze echt niet te blijven. Ze voelde zich niet veilig. Haar adem ging sneller, maar het leek alsof ze geen lucht kreeg.
Toen stond ze opeens weer op het lege perron. Haar

trein stond er nog. Ook leeg en met open deuren. Op het bord erboven las ze: *Niet instappen. Deze trein gaat niet verder.*

Ze keek om zich heen en glipte de trein in. Hier was ze veilig. Ze schoof haar koffer onder een bank en ging liggen, met opgetrokken knieën. Niemand die haar zag. Eindelijk kon ze weer een beetje ademhalen. Het bonken van haar hart werd minder. Ze slaakte een zucht en vouwde haar handen onder haar hoofd.

Wat was dat? Ze veerde op. De deuren gingen dicht. Het licht ging uit. Toen voelde ze een schok. De trein kwam in beweging. Help! Waar ging ze heen?

Ze sprong op en ging voor het raam staan. Met twee vuisten bonkte ze op het dikke glas. Maar er was niemand die haar zag of hoorde. Stapvoets gleed ze langs het lege perron. Schuddend passeerde de trein een wissel. Ze greep zich vast aan het bagagerek. Het perron verdween naar de achtergrond. Remmen piepten. Er verscheen een donkere trein vlak naast haar raam. Ze keek over haar schouder. Naast het andere raam zag ze er ook een. Met een schokje stopte de trein. Ergens buiten klonk een vage plof van een deur. Toen werd het stil.

Het duurde even voor haar ogen aan het donker gewend waren. Op de tast liep ze naar de deur. Haar handen gleden erlangs en vonden de knop waarmee de deur open ging. Ze drukte. Er gebeurde niets. Doodstil bleef ze staan. Waar was ze? Het leek wel of ze opgesloten zat tussen allemaal lege treinen, als in een soort parkeergarage. Moedeloos leunde ze tegen

de stang naast de deur. Hoe kwam ze hier uit?
Moest ze er wel uit? Ze dacht aan de figuren op het
spookachtige station en rilde. Als zij er niet uit kon,
kon er ook niemand in. Eigenlijk was dat zo slecht
nog niet. En die treinen zouden hier toch niet eeuwig
blijven staan? Morgenvroeg reden ze toch weer?
Ze stommelde terug naar haar koffer en wachtte.
Morgen, nog voor de eerste reizigers kwamen, zou ze
uitstappen, een telefooncel zoeken en papa bellen.

Ze moest in slaap gevallen zijn. Toen ze haar ogen
opende stond er een man over haar heen gebogen.
Hij schudde aan haar arm.
Waar was ze? Ze kwam overeind en keek naar buiten.
De trein stond weer naast het perron. Ze had er niets
van gemerkt, was overal dwars doorheen blijven slapen.
'Jongedame', zei de man.
Ze keek hem aan. Hij had een pet op en droeg een
uniform van de spoorwegen.
'Jij mag hier helemaal niet zijn', ging de man verder,
maar hij klonk niet boos. 'Wat is er aan de hand?'
'Ik moet papa bellen,' zei Eline, 'maar mijn gsm is
dood.'
De man schudde zijn hoofd. 'Slapen op het
rangeerterrein… Je vader zal wel ongerust zijn. Kom
maar met me mee.'
Eline pakte haar koffer en volgde de man. Overdag
zag het station er anders uit. De schimmen hadden
plaatsgemaakt voor haastige mensen die hun trein
wilden halen. De grote stationsklok wees halfnegen
aan. Zo laat al? Ze schrok ervan.

De man stopte voor een deur, haalde een sleutel tevoorschijn en liet haar binnen. Ze kwam in een kantoortje waar een vrouw, ook in uniform, aan een bureau zat.

'Mag dit meisje even haar vader bellen?' vroeg de man.

'Natuurlijk.' De vrouw gaf een telefoon aan Eline.

Al bij het eerste gezoem nam papa op.

'Papa! Ben je al thuis?'

'Eline!'

Ze merkte meteen dat er iets was. Papa's stem klonk anders, alsof zijn keel werd dichtgeknepen.

'Eline, waar ben je?' vroeg papa.

'Pap, ik heb een verrassing. Ik kom zo naar je toe.'

Papa leek helemaal niet blij met haar verrassing.

'Eline, zeg me alsjeblieft waar je zit. Ik ben doodongerust.'

'Maar pap...'

'Mama heeft me de hele nacht proberen te bellen, maar mijn telefoon stond uit in het vliegtuig. Ze kon jou niet bereiken', zei papa. 'Ze heeft jouw afscheidsbrief gevonden en dacht dat je bij mij was. Waar ben je nu? Zeg het alsjeblieft, ik kom je halen.'

'Ik ben op het station', zei Eline.

'Welk station?' riep papa.

'Bij jou.'

'Ik kom er aan!' Weg was papa.

'Is alles goed?' vroeg de man met de pet.

Eline knikte. 'Papa komt me halen. Bedankt dat ik mocht bellen.' Ze legde de telefoon op het bureau en ging op zoek naar de uitgang. Daar stond ze nog geen drie tellen toen het witte sportwagentje met piepende banden stopte. Papa sprong eruit en liep met grote passen op haar af. Hij sloeg allebei zijn armen om haar heen en drukte haar stevig tegen zich aan.

'Meisje toch, mijn Lienemieneke... Wat ben ik blij dat ik je zie.'

'Ik ben ook blij.' Eline kroop weg tegen papa's brede schouder en snoof zijn lekkere luchtje op. Ze had het gered.

'Meisje, meisje', zuchtte papa, 'Lienemieneke toch... wat heb ik in de rats gezeten om jou. Beloof me dat je nooit, maar dan ook nooit meer zoiets doet.'

'Ik moest wel,' zei Eline, 'ik kon niet meer...'

'Stap in', zei papa. 'We moeten praten.' Hij maakte de deur voor haar open en legde haar koffer op de achterbank.

'Ik wil eerst met jou praten,' vervolgde papa, 'daarna pas met mama erbij. Maar ik bel haar nu om te zeggen dat je bij mij bent. Is dat goed? Ze is helemaal van slag.'

Eline knikte.

Papa toetste het nummer in. 'Cynthia, met mij.'

Eline luisterde. Papa en mama praatten met elkaar. Zo leek het net alsof ze weer samen waren. Onzin. Dat wist ze intussen wel. Papa en mama waren als de dag en de nacht, de zon en de maan. De een kwam pas als de ander weg was.

Ze luisterde weer.

Papa knikte. 'Ja, Eline is bij mij. Het gaat goed met haar. Ik ga nu met haar praten. Daarna komen we naar je toe, maar dat kan best nog even duren. Maak je geen zorgen.'

Eline dacht na. Hoe kwam het eigenlijk dat mama haar brief zo vroeg al had gevonden? Zou ze gisteren toen ze thuiskwam van Luc nog in haar kamer gekeken hebben? Ze vroeg het aan papa.

'Mama zag je fiets in de tuin staan', zei papa. 'Ze riep je, maar je gaf geen antwoord. Daarom ging ze naar je kamer en daar vond ze jouw brief.'

Hij parkeerde de auto aan de rand van een bos. Ze stapten uit. Het was stil, je hoorde alleen de vogels fluiten. Hun voetstappen werden gedempt door het zand. In stilte liepen ze naast elkaar.

'Lienemieneke', zei papa. 'Wil je me eens vertellen wat er de laatste tijd zoal is gebeurd? Ik was te vaak weg en als ik je zag hadden we het altijd over leuke dingen. Je hebt me nooit verteld dat je het zo moeilijk had.'

'Ik wilde niet dat je je zorgen maakte', zei Eline.

Papa schudde zijn hoofd. 'Als je echt van elkaar houdt deel je alle dingen, ook de vervelende.'

'Net als met je hartsvriendinnen', bedacht Eline.

Papa knikte. 'Maar vertel eens...'

Eline begon te praten. Eerst aarzelend, daarna steeds sneller. Ze vertelde over al die avonden dat ze alleen zat met haar diepvriespizza of haar bakje penne. Over die nacht dat ze alleen thuis was en dacht dat er een inbreker was. Over die enge Stefan, die vond dat ze maar beter uit zijn buurt kon blijven. 'Maar we hebben hem weggejaagd', lachte ze.

'Wie?'

'Wij, de meiden van Yèèèk!' Trots vertelde ze wat ze gedaan hadden. 'Het was misschien niet netjes, maar het hielp wel. Hij kwam niet meer terug. En toen kwam Luc.' Ze zuchtte.

'Vertel', drong papa aan.

'Luc viel best mee', begon ze. 'Maar hij denkt dat hij mijn vader is. Hij zegt wanneer ik naar bed moet en hoe lang ik televisie mag kijken. En toen ik woensdag naar de film wilde kregen we ruzie en mama zei helemaal niks.' Ze legde uit wat er gebeurd was. Papa sloeg zijn arm om haar schouder en luisterde.

'Weet je wat ik het allerergste vind?' flapte Eline eruit. Het leek of ze er zelf van schrok.

'Nou?' drong papa aan.

'Ik weet niet of je het leuk vindt als ik dit vertel.'

'Je mag alles zeggen', meende papa.

'Als wij samen afgesproken hebben, zit mama thuis op me te wachten. Dan doet ze heel vervelend tegen me, over jou.' Ze deed de stem van haar moeder na: 'Wat heeft hij gezegd? Woont hij nog steeds daar? Heeft hij een vriendin?'

'Vind je dat zo erg?' vroeg papa.

'Ja, want daarna mag ik niet meer over jou praten', zei Eline. 'Dan doet ze net alsof je niet bestaat. Weet je waar ik bang voor ben? Dat ze wil dat Luc mijn nieuwe vader wordt. Maar ik wil geen nieuwe vader. Ik heb jou toch, pap.'

Papa trok haar dicht tegen zich aan. 'Het komt allemaal goed, Lienemieneke. Ik wist dit niet. Ik wist het echt niet, anders had ik er allang wat aan gedaan.' Ze kwamen langs een klein, wit cafeetje met een dikke, rieten kap. 'Ik ben wel aan koffie toe', zei papa. 'En jij lust vast ook wel iets lekkers.'

Ze kropen in een rustig hoekje en bestelden koffie, thee en brood met omelet. Toen pakte papa Elines handen vast. Hij keek haar aan. 'Luister, meisje, maandag begin ik aan mijn nieuwe baan. En ik ga verhuizen, dat heb ik net besloten. Ik kom heel dicht bij je wonen, dan hoef jij niet alles achter te laten. Je vriendinnen, je school...'

De rest van zijn woorden ging verloren omdat Eline hem om de hals vloog. 'Pap, meen je dat? Ik ben zo blij dat ik er bijna van moet huilen. En je familie dan?'

'Daar gaan we samen op bezoek', zei papa. 'Je mag bij mama blijven, je mag bij mij komen wonen als ik verhuisd ben, je kunt zelfs de ene week bij mama en de andere week bij mij wonen. Denk er maar eens rustig over na, na het eten gaan we naar mama.'

13.

Onderweg naar huis begon Eline steeds harder te zuchten. Ze zag er als een berg tegenop om mama te zien. Mama zou wel boos op haar zijn om wat ze in haar brief had geschreven. En met een beetje pech was Luc er ook. Die zou ook niet blij zijn.
Papa stootte haar aan. 'Wat zit je toch te zuchten?'
'Ze zullen wel boos op me zijn.'
'Ik denk het niet', zei papa. 'En ik ben er ook nog. Misschien is het een goed idee om even naar je kamer te gaan als je mama dag hebt gezegd. Om je koffer uit te pakken of zo. Ik wil heel even alleen met haar praten.'
Eline knikte. Ze zuchtte nog maar eens.

Ze had zich druk gemaakt om niets. Zodra de auto voor het huis stopte kwam mama naar buiten. Ze sloeg haar armen om Eline heen en drukte haar stevig tegen zich aan. 'Kindje toch... wat heb je me laten schrikken. Doodsangsten heb ik uitgestaan. Ik wist niet waar je zat.'
'Het spijt me', mompelde Eline.
Mama keek haar aan. 'Nee, het spijt mij. Echt waar,

ik had het anders moeten doen. En dat meen ik.'
Ze had gehuild, zag Eline. Haar ogen waren rood
en gezwollen. Eline zag hoe ze naar papa keek.
Aarzelend liep ze naar hem toe. Ze stak haar hand
uit. 'Dankjewel, Maurice. Bedankt dat je haar hebt
gevonden.'
Eline wachtte af. Was dit alles? Ze zou papa toch niet
voor de deur laten staan? Als ze dat deed dan... dan
bleef ze zelf ook niet hier. Nog geen minuut.
'Kom gauw binnen', ging mama verder. 'Je bent al zo
lang op pad, dat je vast wel zin in koffie hebt.'
Eline kon haar oren niet geloven. Mama deed
normaal tegen papa. Wie had dat kunnen denken?
Ze pakte haar tas en haar koffer en liep achter hen
aan naar binnen. Daar kwam ze Luc tegen. Hij
schudde papa's hand en stelde zich voor. Toen keek
hij naar haar. Ze wachtte af.
'Dag Eline', zei Luc. 'Fijn dat je er weer bent.'
Ze pakte haar koffer. 'Ik ben naar boven.'
Heel stil pakte ze haar koffer uit, met de deur op
een kier om te luisteren wat er beneden gebeurde.
Ze hoorden wel hun stemmen, maar kon hen niet
verstaan. In het begin was papa het meeste aan
het woord. Ze hoorde het gonzen van zijn donkere
stem, een enkele keer onderbroken door het hoge
stemgeluid van mama. Later zei mama wat meer.
Luc was stil. Pas op het allerlaatste hoorde ze hem
praten, vlak voor mama haar riep. Ze zette haar
laptop neer en liep de kamer in.
Ze zaten er zo op het oog ontspannen bij, als
vrienden die bij elkaar op bezoek waren.

'Heb je nog wat tijd gehad om na te denken?' vroeg papa.

Eline keek naar mama.

'Zeg maar wat je het liefste wilt', drong mama aan. 'Je moet niet denken dat ik boos word. Het gaat om jou.'

Eline keek van papa naar mama.

'Je hoeft nog geen besluit te nemen als je het niet zeker weet', zei papa. 'Je mag er gerust een nachtje over slapen.'

'Ik weet wat ik wil', zei Eline. 'Ik hoor bij jullie allebei.'

Toen ze papa geknuffeld en uitgezwaaid had, haastte ze zich naar haar kamer. Ze keek naar de poster die weer aan de muur hing, alsof hij nooit was weggeweest.

'Je zult me af en toe moeten missen', zei ze tegen *my special boy*. Toen keek ze naar haar wekker die weer op het oude plekje stond. Het slaapfeestje was al lang voorbij, de vriendinnen waren allemaal naar huis. Ze zette haar laptop aan, trappelend van ongeduld om haar vriendinnen te vertellen hoe het afgelopen was. Yes! Ze waren allemaal online, allemaal nieuwsgierig wachtend.

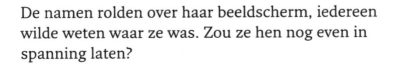

> **Lien zegt:**
>   daarrrr ben ik weerrrr!!!

De namen rolden over haar beeldscherm, iedereen wilde weten waar ze was. Zou ze hen nog even in spanning laten?

Lien zegt:

ik ben hier

achter mijn laptop.

> **Yel zegt:**

WAAR is hier?

> **Em zegt:**

gaat het goed met je?

> **Lien zegt:**

het gaat helemaal mega fanta super met me.

beter kan niet.

ik ben gewoon thuis.

> **Kaatje zegt:**

?????

thuis?

ik plof bijna uit mijn vel van nieuwsgierigheid.

vertel snel!

> **Lien zegt:**

ik ga niet verhuizen!

> **LL zegt:**

ach, wat jammer voor je.

wat is er misgegaan?

> **Lien zegt:**

nix!

> **Yel zeg:**

hier kan ik niet meer tegen.

kom op, we gaan met zijn allen naar Eline.

> **Lien zegt:**

hallo!

zijn jullie er nog?

hallo daar!

dat was toch een grapje, yelien?

of niet soms?
geef eens antwoord.

De bel ging. Vlugge voeten roffelden de trap op.
De kamerdeur vloog open en daar stonden ze echt:
Yelien, Emma, Ellen en Kato.
'Nu moet je vertellen wat er aan de hand is', zei
Yelien. 'Je gaat niet verhuizen, maar je bent wel
superblij.'
Kato knikte. 'We snappen er niks van. Je staat echt te
stralen, vertel op!'
'Papa gaat verhuizen, hij komt hier in de buurt
wonen', lachte Eline.
'Yeahhhh!' Er steeg een oorverdovend gejuich op, ze
vlogen Eline en elkaar om de hals.
'En dat is nog niet alles', zei Eline. Ze keek haar
vriendinnen een voor een aan. 'Ik ga de ene week bij
papa wonen en de andere week bij mama. Het mag,
mama vond het meteen goed. Maar er is nog meer.'
'Nog meer kan bijna niet', zei Emma.
'Toch wel', knikte Eline enthousiast. 'Mama doet
weer normaal tegen papa. N-O-R-M-A-A-L! Begrijpen
jullie wel wat dat betekent? Dat betekent dat mijn
leven eindelijk ook weer normaal wordt. Is dat niet
fantastisch?'
'Ongelooflijk', zuchtte Yelien.
'Nu is alles weer goed', lachte Emma.
'Nee', schudde Eline. 'Er is nog iets.'
'Help! Nog meer?' schrok Ellen.
Eline knikte. 'Ergens op de wereld staat een klein,
roze varkentje te knorren van de honger.' Ze haalde

het geld van het babysitten tevoorschijn. 'We moeten hem maar gauw weer volstoppen.'
'Wacht even', zei Kato. 'We hebben nog geen plannen voor dat geld, maar ik krijg opeens een heel goed idee. Zullen we op het terras van Venezia een supercoupe bestellen om te vieren dat Eline voor altijd bij ons blijft?'
Eline omhelsde Kato. 'Wat een feestelijk einde! Bedankt voor alles en... ik kan jullie echt niet missen. Geen dag!'

Meer weten over Yééék, de club van Yelien,
Eline, Ellen, Emma en Kato?

Neem een kijkje op www.for-girls-only.be en
www.for-girls-only.nl

For Girls Only 1
Vriendinnen voor altijd

Emma is verhuisd. Helemaal alleen gaat ze naar de vreemde school. Ze kent er niemand, totaal niemand. En de anderen kennen zo ongeveer iedereen, behalve haar natuurlijk. In haar lievelingsboek *For Girls Only* leest ze: 'als je lacht krijg je eerder vrienden'. Ja, dat zal wel. Maar er valt niets te lachen.
Er staat ook: 'zoek iemand die ook alleen is'. Zo leert ze Katja kennen. Maar is Katja wel een echte vriendin? Al snel heeft Emma een heleboel vragen, die ze opschrijft in haar dagboek. Maar nog voor ze een antwoord vindt, loopt het fout...

For Girls Only 2
Hopeloos verliefd

Kato heeft met haar vriendinnen een clubje: Yééék,
en daar komt niemand tussen. Maar op de dag dat
Luca met zijn lange wimpers in haar klas verschijnt
wordt Kato op slag verliefd, voor de allereerste keer
in haar leven. Ze kan alleen nog aan hem denken en
op school moet ze steeds naar hem kijken. Maar Luca
kijkt wel erg vaak naar Yelien. Zou zij ook op hem...?
Als Luca dan eindelijk met Kato wil afspreken na
school, vergeet ze haar zorgen: ze heeft haar eerste,
echte date! Maar is Luca wel zo aardig als zij denkt?
En wat doen Yelien en Luca samen op het plein?
Als Kato daarachter komt, is het al te laat. Haar
wereld stort in. Ze is Luca kwijt, heeft ruzie met haar
vriendinnen, met haar ouders...
Komt het ooit nog goed?

For Girls Only 4
Het geheim van Yelien

De school viert feest. Yelien bereidt de feestavond tot in de puntjes voor. Ze heeft alles onder controle.
Ook zichzelf?
Want Yelien heeft wel wat anders aan haar hoofd: op klaarlichte dag ziet ze haar vader op een terrasje zitten. En hij zit daar niet alleen... Wie is die onbekende vrouw? Wat moet papa met haar? Weet mama wel waar hij mee bezig is? Yelien gaat op zoek naar een antwoord op al haar vragen.

Verschijnt voorjaar 2010!